YOUTH 经|典|译|丛 05
人猿泰山

奥泊城的珍宝
Tarzan and the Jewels of Opar

［美］埃德加·伯勒斯 / 著
毕可生 孙亚英 / 译

中国青年出版社

（京）新登字 083 号

图书在版编目（CIP）数据

奥泊城的珍宝/(美)伯勒斯（Burroughs, E.R.）著；毕可生，孙亚英译.—北京：中国青年出版社，2013.7
（人猿泰山系列）
书名原文：Tarzan and the Jewels of Opar
ISBN 978-7-5153-1815-8

Ⅰ.①奥… Ⅱ.①伯…②毕…③孙… Ⅲ.①儿童文学—长篇小说—美国—现代 Ⅳ.①I712.84
中国版本图书馆 CIP 数据核字（2013）第 172492 号

责任编辑：杜惠玲　谢肇文
封面设计：瞿中华

出版发行：中国青年出版社
社　　址：北京东四十二条 21 号
邮　　编：100708
网　　址：www.cyp.com.cn
编辑电话：010-57350504
门市电话：010-57350370
印　　刷：三河市君旺印务有限公司
经　　销：新华书店

开　　本：620×920　1/16
印　　张：13
插　　页：2
字　　数：140 千字
版　　次：2015 年 5 月北京第 1 版
印　　次：2015 年 5 月河北第 1 次印刷
定　　价：18.00 元

本图书如有印装质量问题，请凭购书发票与质检部联系调换
联系电话：010-57350337

猿语（泰山的母语）——中文对照表

动 物

巴拉——鹿

勃勒冈尼——大猩猩

布吐——犀牛

旦格——鬣狗

杜罗——河马

戈格——水牛

豪尔塔——野猪

吉姆拉——鳄鱼

库图——老鹰

努玛——雄狮

派可——斑马

盘巴——老鼠

沙保——母狮

吞特——大象

希斯塔——蛇

希塔——花斑豹

(　　)——(　　)
(　　)——(　　)

自　然

戈罗——月亮

库都——太阳

(　　)——(　　)
(　　)——(　　)

人

戈曼更——黑人

塔曼戈——白人

(　　)——(　　)
(　　)——(　　)

你还能找出多少来呢?

目 录

一　比利时人和阿拉伯人 …………………………… 001
二　重返奥泊城 …………………………………… 010
三　重访丛林 ……………………………………… 015
四　预言应验 ……………………………………… 022
五　太阳神的祭坛 ………………………………… 030
六　阿拉伯人的抢劫 ……………………………… 038
七　奥泊城的宝石库 ……………………………… 045
八　逃出奥泊城 …………………………………… 052
九　窃取宝石 ……………………………………… 059
十　阿奇米特看见了宝石 ………………………… 070
十一　又回到野蛮状态 …………………………… 078
十二　兰的报复 …………………………………… 086
十三　被判酷刑 …………………………………… 090
十四　女主教柔肠百转 …………………………… 099
十五　沃泊尔逃亡 ………………………………… 107
十六　又成领袖 …………………………………… 117
十七　身陷绝境 …………………………………… 127

十八	抢夺珠宝	135
十九	琴恩和野兽	145
二十	再次被俘	152
二十一	逃入丛林	163
二十二	恢复理智	173
二十三	恐怖夜	184
二十四	重建家园	193

一
比利时人和阿拉伯人

在比利时,有一个叫阿伯特·沃泊尔的陆军中尉。他身材魁梧,很有军官的气派,但他却不是一个恪守军规、忠于职守的人,他多次由于沉湎享乐,利用管理现金之便贪污滥用公款而获罪。结果对他的处罚还不算重,只调他到荒凉的比属刚果服役,并没有被革职,也没被送上军事法庭。对他来说,只是在名声上受点损失,这已经是很侥幸了。初到刚果时,他还常有一种感恩的心情,暗暗感谢上帝保佑,感谢长官的爱护,但日子久了,他渐渐对刚果不能忍受了。因为刚果远处非洲蛮荒,十分偏僻荒凉,他住在这里,什么娱乐也没有,日子打发得实在淡而无味。他捺着性子挨过了五六个月,觉得实在难耐,心理也发生了变化,开始由原先的感谢变为怨恨,不但对调动他的上级存着怨怼,就是对曾经帮他说情并为他开脱过罪责的同事也怀恨起来。他本来住在比利时的首都布鲁塞尔,那里有舒适华美的住宅,夜生活也很丰富,可以和朋友们去饮酒,也可以去歌剧院,还可以经常参加上层社会的家庭晚会,那里有华灯美筵,尤其使他心驰神往的,是那些盛装的夫人、小姐,她们身上总散发着各种淡淡的幽香,他纵然不能太出格地亲近她们,但就是看看她们的微笑,看她们从身边款款走过,也是一种赏心悦目的事。对这些上流社会的生活他已十分习惯,觉得是余暇之时必不可少的。可是,现在处在刚果,什么都没有了,过去的灯红酒绿都成了美好的梦境一般的回忆,在这里,除了蛮荒野地和风声雨声之外什么也没有,他越来越觉得不可忍受了。过去他之所以犯错误,就是由于耽于享乐,到了刚果之后,他并没能反省过去,产生悔改之心,而日渐增加的怨愤和不满,致使他犯下更大的错误。

刚果生活环境的枯燥寂寥,已经够他心烦意乱的了;更让他懊恼的是,他无法接受他的刚果上司。这位上级是个上尉,按理说,也不是个十分难于相处的人,只是性情有点冷漠,不大爱说话,也不轻易露出笑容,别人不太容易知道他在想什么。军官们和他坐在一起时,都是各自抽着烟,不大有人敢跟他谈笑,沃泊尔和同僚都有几分怕他。其他人对上尉只是不大亲近,敬而远之,没有达到无法相处的地步,但沃泊尔却疑心很重,总认为上尉一定知道他过去一些不光彩的行为,有意对他冷淡,使他难堪。他既然抱定了成见,自然就没有一天不对上尉憋着一肚子怨气。

有一天晚上,终于出事了。同事们和上尉都无言地坐在一起抽烟,空气有几分沉闷,在弹烟灰的时候,上尉无意间瞟了沃泊尔一眼,这本来算不得什么,周围也没有人注意上尉这个动作。沃泊尔却认为这是对他极端的轻蔑,是让他当众下不来台。于是平日所积蓄的怒气,一下子涌了上来,无名火使他失去了理智,他的手按在手枪上,怒睁着两眼,跳起来吼道:"你侮辱我!我早就受够了,今天我可真到了忍无可忍的地步。我是中尉,你也不过是个上尉罢了,何必摆出这么一副了不起的架子?我也是个世家出身的军官,今天,我要和你算一笔总账!你这头猪!"

周围的军官一时都被这突如其来的事惊呆了,不知该怎么做才好。上尉见他如此暴跳如雷,也有点莫名其妙。但他还是冷静地走向沃泊尔,想说几句劝慰他的话,因为他知道初来刚果的人挨不过寂寞,或者受不惯这里的湿热,常常会发一阵暴躁的脾气,这种事他见过多次了,他以为沃泊尔也是这样,闹一阵就会平静下来。他便向沃泊尔走来,伸出手想拍拍沃泊尔的肩膀。他的安慰话还没有说出口,沃泊尔就来了个猝不及防的动作:原来,他认为上尉要伸手来捉他,便抽出手枪对准上尉的胸膛,没等上尉走到面前,沃泊尔的子弹已经打进了上尉的心窝。

就这样,沃泊尔无可挽回地成了杀人犯!

上尉倒在地上,立时就死了。沃泊尔也突然清醒。他听到了兵士们的惊呼声,也听到有不少人向这里奔来了。他知道自己枪杀了上司,如果被他们捉住,即使不被当场击毙,也必然会送上军事法庭严办。这时候他完全清醒了,心里怕得要死。此时的他和行凶之前判若两人。眼下他只求活命,什么也顾不得了。听到外面的人声渐渐近了,他慌作一团,手足无措。

但沃泊尔面对死亡只犹豫了一刹那,他明白自己没有多余的时间,必须马上镇定下来,想出对策。人在非常危急的时候,思维往往会闪动得很快,他心里马上有了结论:除了逃跑之外,别无他路可走。他打定这个主意,握着手枪,撒腿就跑。他不敢走前门,怕撞上正向这里奔来的士兵。他向后门奔去,可才到门边,就被守门的士兵拦住了。这时候,他来不及再跟士兵说什么,握紧手枪,用手枪柄对准士兵的脑袋狠狠打去,士兵昏倒在地。他迅速地向外跑出几步之后,忽然想到了什么,又跑回来,蹲在士兵身边,解下他的子弹带,捡起他的来复枪,回头看看追兵还没有到,不顾一切地向黑暗的丛林中逃去了。

从此,沃泊尔只好做了亡命徒。他在丛林中整整走了一夜,丛林中各种令人毛骨悚然的声音不绝地向他耳边传来,其中最可怕的是狮子的吼声。他知道自己没有退路可走了,再可怕他也只能往前闯。于是他准备好来复枪,只要有野兽来袭击,就马上开枪。他的每一根神经都绷紧了,既要防野兽,也要防来追捕他的人。两者比较起来,他更怕的是追兵。一直走到天色发亮,他自己也不知道走出了多远,仍不敢停下来休息。他这时已非常疲劳,肚子里也感到饥饿了,然而为了逃命,他根本顾不得这些。他怕一停下来,就会睡着,很容易被追捕他的人捉住。尽管他拼命支撑,到了中午,他到底支持不住,晕倒在丛林里。

正当沃泊尔晕倒在森林里的时候,有一队阿拉伯的人马正向这里走来,首领叫阿奇米特·泽克,队伍在他的率领下蜂拥而来。看见这里躺着一个身穿比利时军装的人,队伍中有一个人走过来想用长矛刺死他,却被阿奇米特拦住了。他想不如把这比利时人抬回帐篷去,救醒过来,等问清他到丛林中来到底是干什么的,再杀也不迟。于是他命令手下人把沃泊尔扛到营地去,看他的样子没有受伤,也不像是生了什么病,估计他可能是因为过度饥渴和疲劳才晕过去的,于是人们用酒和稀汤食物往他嘴里灌,沃泊尔真的渐渐苏醒过来了。他睁开眼睛一看,自己竟在一顶帐篷里,身边围着许多陌生的黑人,稍远的地方还站着一个阿拉伯人,却找不到一个穿比利时军装的士兵。他自己也莫名其妙怎么会到了这么个地方,心里却在暗自庆幸没有被追兵捉去。可是身边这些又是什么人呢?他们会怎样对待自己?他在疑虑着。

那个阿拉伯人见他苏醒了,就走过来问他道:"我是阿奇米特,你是谁?到我管辖的地界里来有什么事?你的军队有多少人?现在在什么地方?"

天啊!阿奇米特!沃泊尔听见这个名字,简直吓得目瞪口呆。他早就听说过这个如雷贯耳的名字,叫这个名字的人是个杀人不眨眼的阿拉伯首领。他最恨欧洲人,尤其切齿痛恨比利时人,因为最近这几年,比利时军队驻扎在比属刚果,到处搜捕阿奇米特本人和他的党羽,准备交给政府严办。现在自己落在他们手里了,简直是自投罗网,还想活命吗?这可真是俗话说的:"才逃出虎口,又闯进了狼窝。"沃泊尔在转着念头,怎么才能逃过眼前这一关。

沃泊尔心里很慌张,却急中生智,想现在自己不也痛恨本国军队吗?打死了人逃出来,已经是个亡命之徒了,与其在这里吃眼前亏,倒不如凭着自己的军事才能,加入他们这一伙,也许还可以享受一些绿林英雄的快乐生活,只是不知道他们肯不肯收留自己。沃泊尔打定了这个主意,振作了精神,用坚定而温和的语调回答说:"我是久仰大名,特来投奔你的。我们军队里钩心斗角,互相倾轧,我站不住脚了,逃跑出来,成了亡命徒。我想你一定肯收留我,而且有能力保护我,因为我知道你也是仇恨他们的。假如你肯收留我,我情愿为你效力。我是一个能带兵打仗的人,懂得战略战术,倘蒙不弃,甘愿听你指挥,为你做事,万死不辞。"

阿奇米特两眼紧盯着沃泊尔,静静地听他说,面部没有表情,也不说话,心里却在转着念头。他是个非常精明干练的人,现在还无法断定沃泊尔说的话是否都是真的。谁敢保证这比利时军官不是来当内线、做卧底的呢?如果他真心来入伙,倒是件不坏的事。他熟知比利时军队的内部情况,便于自己防范,况且这个人自己说能带兵打仗,岂不是增加了自己的实力?若真是这样,倒是真该欢迎的。阿奇米特转着这样的念头,脸上却是一点表情也没有,一直紧紧皱着眉头。沃泊尔不知道他心里在想什么,吓得心惊肉跳,深怕这个喜怒不形于色的人一声令下,杀了自己。沃泊尔对阿奇米特只是耳闻,并不熟悉他的习惯,不知道他与常人正好相反,心里有几分喜悦的时候,常常是皱着眉头,而每当他要杀人的时候,倒是满脸狞笑。沃泊尔怎么会知道他这些习惯呢?

静了好一阵子,阿奇米特才开口:"假如你是军队派来当内线的,一旦被我查出来,我什么时候都可以杀你。这事以后再说。现在我问你,你除了希望我保护你的性命之外,还有别的要求吗?"

沃泊尔说:"目前,我只求你保护,没有别的。我知道你是个赏罚分明的人,日后,我若为咱们的队伍立了功,我希望得到你的犒赏,我想,这事不用我预先要求。"

沃泊尔说的是心里话,现在的他只求免于一死,其他什么都顾不上。从此以后,这位以搜捕劫掠者为职责的比利时陆军中尉就加入了阿拉伯人的队伍,也干起了劫掠象牙、贩卖人口的勾当。

沃泊尔在阿拉伯人的队伍里生活了几个月，好像换了一个人，剽悍残酷，杀人越货，与阿拉伯人比起来，有过之而无不及。阿奇米特一直在暗地里观察着他，觉得他干得还像个样子，有时候甚至很出色，于是渐渐对沃泊尔产生了信任，队伍中遇到不好办的事，也肯找沃泊尔商量了。每逢这种时候，沃泊尔无不尽力出谋划策，渐渐地，他成了这支阿拉伯队伍的智囊，队伍的势力也因此壮大了起来。

有一天，阿奇米特终于要和沃泊尔商议一件很重要的事了，这件事在他心里盘桓了很久，几乎成了阿奇米特的一块心病。如今，身边有了这么个好参谋，想来是解决这个问题的时候了。于是阿奇米特装作有意无意的样子，试探地问沃泊尔："你有没有听说过，在非洲这块地方，有个很出名的人叫泰山的？"

沃泊尔点点头说："我也听人说起过他，只是从来没有见过。"

阿奇米特不紧不慢地说："恐怕你还不知道吧？这个人可是咱们的死对头，一直和咱们作对，对咱们的安全和利益是个不小的威胁。凡是富庶的地方，他总是帮助当地人来反抗咱们。只要有他在，咱们的队伍别说抢不成东西，就连买卖也做不成，他自己很有钱，却苦了我们。假如没有他和咱们作对，咱们早就发了财，可以洗手不干了。他才是咱们最大的敌人。我总在想，该用个什么办法收拾他，狠狠地敲他一笔，来补偿我们的损失。你能想出什么好方法吗？"阿奇米特说话的时候，两只眼睛一直在沃泊尔脸上打转。

沃泊尔仔细听完了阿奇米特的话，没有马上作出反应，而是伸手到怀里，掏出一个镶有宝石的烟盒，取出一支烟来吸着，思索了一阵，问阿奇米特："我估计这个问题你不只考虑一两天了，我倒想听听你有什么对付他的办法？"

阿奇米特慢吞吞地说："他有个妻子，听人说长得十分美丽，如果我们能把她抢来，不但出了气，还可以勒索泰山一大笔钱，然后再把那女人运到北边去，还可以卖一大笔钱。你看，我这主意怎么样？"

沃泊尔低下头去，思索了很久，阿奇米特在耐心地等着他回答。但这时候沃泊尔心里是有斗争的，他的良心毕竟还没泯灭。他加入阿拉伯人的队伍是迫不得已，现在要他帮着阿拉伯人去抢一个白种贵族妇女，卖给摩苏尔部落去做小老婆或女仆，他于心不忍。他看看阿奇米特，正在想怎么委婉地说点不赞同的意见，可还没容他开口，阿奇米特似乎已经看出了他的意图，突然变了脸色，怒容满面。沃泊尔深知阿奇米特是不许别人反对他的，唯恐他加害自己，连忙把要说的话咽了回去。沃泊尔为了求活命才投身到这支队伍中来，看阿奇米特的眼色生活已经很久了，好不容易才取得信任，现在若为救一个不相识的女人而搭进去自己一条命，他是决计不肯干的！于是他又转过来想怎么去办好这件事。他想：泰山的妻子是欧洲人，无疑是上流社会交际场中的重要人物，自己现在已经为规矩人所不齿，她自然也会这么看，又何苦为了救她而得罪了阿奇米特，自己找死呢？再说，即使自己反对，也不见得能改变阿奇米特的主意，反倒只会白送自己一条命。

阿奇米特催问道："你到底怎么想？你在犹豫什么？"

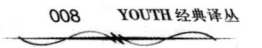

沃泊尔连忙回答:"我不是在犹豫什么,我是在想,怎样才能妥善无误地把这件事办好,办好之后,你又怎样犒赏我。让我跟你说说我的打算:我想,我是个欧洲人,可以利用同一种族的关系,到他们家去做内应。你的部下人数虽多,若论完成这个任务,却没有任何一个人比我更合适的了。不过,我虽然比他们有优势,进泰山的家还是冒险的,你该多给我些赏金才对。"

阿奇米特听沃泊尔这样一说,才高兴起来,拍着沃泊尔的肩膀,面露微笑地说:"沃泊尔,这一点你放心,事情办成之后,我一定重重赏你。现在事不宜迟,我们要赶快着手才行。"

这两个人就在阿奇米特的帐篷中,坐在地毯上,低声商议怎么做才能十拿九稳。沃泊尔和阿奇米特的身材本来就差不多,自从入了阿拉伯人队伍以来,经常风吹日晒,肤色也变得像阿拉伯人一样。沃泊尔有意模仿阿奇米特的着装,在不知内情的人看来,完全像两个阿拉伯人坐在一起谈话。他们一直商量到深夜,沃泊尔才道过晚安,回自己的帐篷去了。

第二天早晨,沃泊尔脱下白袍,重新穿上了比利时陆军中尉的军服。阿奇米特从以往得来的赃物中找了一顶白色太阳盔和一副欧洲人喜欢用的马鞍让沃泊尔使用,又挑选了几个精壮的黑武士,有的装成脚夫,有的扮作随从。这样一来,无论谁见了,都会以为这是一队行猎消遣的旅客。这队人就由沃泊尔领着,朝泰山的庄园进发了。

二
重返奥泊城

泰山用了两个星期的时间去巡视了他非洲的领地,正赶回庄园。刚走到庄园前,他就远远看见有一队人,正从西北方向的丛林里横穿过平原,向庄园这个方向走来。

泰山立刻勒住马,远远望着这支队伍,看见领队的是个戴白色太阳盔的骑士,他知道这是欧洲来打猎的队伍,估计是要到庄园投宿的。他于是掉转马头,慢慢地迎上前去。

半个小时以后,泰山带着那个领队的人来到庄园前的走廊边下了马,他还把这个人向琴恩作了介绍。这人向泰山自称叫朱利·弗立柯,他说:"我和手下人完全迷了路。手下人从来没有到过这个地方,前一段时间还从前村雇了一个向导,谁料这个向导也同样不熟悉路径,带我们胡乱走了两天,索性溜走了。这几天,我们这支队伍完全是毫无目的地乱闯,我有点担心了,不知道前面会碰到什么,今天算是万幸,碰到了先生,才把我们带到贵庄园上来。"

泰山素来好客,常常款待旅人,马上请他们进了庄子,殷勤招待。他请他们好好休息几天,等到精力恢复了,再派人做向导,送他们启程。

从沃泊尔的外表看,完全像个法国的旅行家,泰山对他丝毫没有戒心。反倒沃泊尔心里非常焦急,他带着任务,长住下去总不是个事,但这些天他怎么也没找到下手的机会,一来琴恩从不独自出门,二来庄园上那些瓦齐里武士都非常忠心,防守十分严密。他试着用金钱去引诱,哪知他们丝毫不为所动。

一个星期过去了,沃泊尔的阴谋怎么也没法实施,他十分心焦,知道这个任务完不成,阿奇米特绝饶不了他。目前除了阿奇米特的部落,他没有别的退路可走,所以这个任务能否完成对他来说是性命攸关的事。谁知道天助恶人,正在他焦头烂额、无计可施的时候,无意间竟让他发现了一个机会。

那天早晨来了一个邮差,送来一大车信件,泰山一个人坐在书房里,一边拆看,一边回复,整整忙了一个下午,连房门都没出,一直到吃晚饭的时候仆人来请,他才出来。沃泊尔有意观察他的神色,见他似乎很沮丧,暗想一定出了什么事,自己要严密注意这个动向,如果是个可利用的机会,则万万不可放过。吃过晚饭之后,泰山向沃泊尔说了一声:"对不起,我有点事要办,不能奉陪了。"说完,他又匆匆地进书房去了,琴恩也发现泰山似乎有什么事,就很快地跟了进去。沃泊尔独自坐在走廊上抽烟,能够听见泰山和琴恩的谈话声,虽然听不清他们在说什么,但可以听出夫妇俩似乎在争辩。于是沃泊尔从椅子上站起来,在黑暗中轻手轻脚地走到窗前,侧耳窃听书房里夫妇俩在说什么。隔了一阵,听到夫人的声音比较清晰,她说:"我早就疑心这公司有些问题,但决没料到会损失这么大一笔款子,我看里面办事的人一定舞弊了。"

泰山说:"过去我也有点察觉,但没把它当回事,但事情已到了这步田地,看来这部分财产我们是没办法挽回了,如果想重新建立家业,除了我到奥泊城再走一趟之外,似乎没有别的办法了。"

琴恩吃惊地提高了声音说:"啊!约翰!除这条路之外,真的没有别的办法好想了吗?我不赞成你再到那危险的地方去。穷苦生活我也能过得下去,我反对你再到奥泊城去,为了一点财产,拿生命去冒险,我认为是不值得的。如果你在那里丢了性命,我们要财产还有什么用?"

泰山笑了笑说:"你把奥泊城想得太可怕了,我完全能保护自己,何况还有瓦齐里的武士们和我一同去呢?我相信决不会有危险,你放心好了。"

琴恩说:"你忘了吗?前一次,那些瓦齐里武士受不住恐惧,都从奥泊城里逃出去,只丢下你一个人去冒险,你不记得了吗?"

泰山说:"有过一次经验,这次他们决不会再那样做了。上次丢下我走了之后,他们自己也后悔了,觉得不应该,还在外边商议怎么来营救我,当我出来的时候,不是正好遇见他们了吗?"

琴恩还是忧心忡忡地说:"除此之外,真的再没有别的办法了吗?"

泰山说:"是的,我都想过了,想恢复我们原有的产业,除了去奥泊城之外,再也没有更稳妥、更方便的办法了。我上次带出来的大块金子,那里面多得是,想拿多少就有多少,只要拿得动,我们重整家业绰绰有余。琴恩,你放心,我这次去一定会处处小心,不会有什么危险。好在奥泊城里的土著人对他们的宝藏一无所知,即使他们知道了也没有什么用处。我走的又是一条只有我一个人才知道的捷径,万无一失,你只管在家里放心等着就是了。"

泰山要去的意思非常坚决,琴恩知道再劝阻也没有用,只好不再说什么了。沃泊尔在外边偷听了一阵,他琢磨泰山一定打定主意要去什么地方取珍宝。这时夫妇俩已经转变话题,又谈别的了,沃泊尔觉得没有必要再偷听,倘若被人发觉了不妙,便仍旧回到走廊上坐着抽烟,一面心里在想怎样实施自己的计划。

第二天早晨,沃泊尔和泰山夫妇一起吃早餐时,沃泊尔提出他已休息好了,准备在这一两天之内启程,请求泰山准许他带一个瓦齐里武士做向导,以便行猎时不再迷路。泰山不假思索,很爽快地答应了。吃完饭,沃泊尔立即吩咐部下收拾行装,作上路的准备,足足忙了两天才算就绪。于是他向泰山夫妇道了谢,准备出发,泰山选了一个瓦齐里人做向导陪他们一道上路。沃泊尔带着这队人,走出去没多远,就假装自己不舒服,命令部下在道旁支起帐篷休养,等身体好了再往前走。同时,他客气地打发那个瓦齐里向导暂时回庄园去,说等队伍动身的时候再请他来领路。等瓦齐里武士走后,沃泊尔把一个阿奇米特的黑人亲信叫进帐篷来,单独嘱咐他偷偷溜回泰山的庄园去,找一个地方隐藏起来,随时观察泰山的行动,如果泰山带队伍出发,就小心地尾随其后,仔细看清他们走的方向,再赶紧回来报告。他自己在帐篷中静候消息。

第二天,那个派出去的探子飞跑回来报告说,今天黎明的时候,泰山带了大约五十个瓦齐里武士向东南方向去了。沃泊尔听了这个消息，马上给阿奇米特写了一封长信，告诉他泰山到一个叫什么城的地方去取珍宝了，自己准备跟踪前去，把珍宝抢劫回来。至于劫掠琴恩的事，请阿奇米特自己带人来干。信里还详细讲了庄园里的建筑、路径，以及守卫人员都在哪里等等。

沃泊尔把信写好了，又把阿奇米特那个亲信叫进去，将信交给他，并嘱咐说："找一个脚力尚佳而又干练的人，尽快把信交到阿奇米特手里。你就留在这里，听候阿奇米特和我的命令，无论什么人，如果从英国人的庄园上到这里来，你们就告诉他，我因为病重，不便于见客，万万不可泄露了任何消息。现在你替我挑选六个脚夫和六个武士，都必须是忠心而又勇敢的，我要带着他们尾随庄园主人去取宝，我听清楚了，他是去什么城拿金子的。我会见机行事，如果方便，我干脆就把金子抢劫下来。"

泰山确实带着队伍出发了，他还像前一次去奥泊城那样，把贵族的服装全部脱掉，仅仅在腰里围了一块狮皮，带着瓦齐里武士，径直向奥泊城进发。他并没有忘记他前一次是怎样从奥泊城死里逃生的，但这一次他信心十足。在他后面，沃泊尔带着十二个人，隐秘地尾随着他们，泰山和瓦齐里武士只顾往前赶路，没发现后面有人跟踪。

阿奇米特接到沃泊尔的报告，认为这次有利可图，而且数量远远超过自己原来的料想，大喜过望，于是毫不怠慢，带着大队人马，由南方来围攻泰山的庄园了。

三
重访丛林

泰山带着他的五十个瓦齐里武士朝奥泊城的方向走去。这天晚上,他和部下在距丛林很近的地方搭起了帐篷,大家吃晚饭休息。一会儿工夫,武士们都睡着了,只留了一个在火堆边守卫。泰山因为心里总在筹划着到了奥泊城,万一遇到什么情况,自己该怎么办,所以翻来覆去睡不着。他闭着眼,静听丛林中野兽往来的脚步声,忽然一声狮吼,把他彻底弄清醒了。这一下惹得这位野性犹存的英国贵族有点技痒起来,想逗一逗这只狮子。他在干草铺上翻来覆去已经有一个多钟头了,索性轻轻爬起来,趁武士们都在沉睡,一溜烟地冲到外面,跳上大树,一会儿就无影无踪了。

开始时,他在枝叶稠密的地方腾跃,走得非常敏捷,用闪电这样的字眼来比喻他,尽管稍嫌夸张,但不能不说确有几分近似。最后,他索性跳到最高的树枝上,像松鼠一样来回跳跃。他好久没有这样做了,心里觉得好生惬意。此时头上的天空蓝得像大海的水,缀着几颗像宝石一样眨着眼睛的星星,月色很好,一片清光泻在丛林上,微风吹动着树的枝叶,一切都在半明亮半朦胧中,显得那么美。泰山有些为这美好的夜色沉醉了。他选了一个枝杈站稳，双手叉着腰，仰望天空，举起双臂，正想用一声长啸来抒发自己的胸臆，却忽然又止住了，因为他想起来瓦齐里武士们正睡在不远的地方，如果让他们听见主人的长啸，他们一定会以为出了什么事，他不愿发生这样的事来打断自己的兴头。

泰山又继续往前走，这一次走得很慢。他觉得肚子有点饿了，很想找一点野味来充饥，他很久没有吃新鲜的野兽肉了，那是何等的美味啊！于是他跳下树来，在漆黑的丛林里慢行，等待着一次捕猎的机会。他一边走一边嗅着，寻找野兽经常出没的路径，找了一会儿，居然发现了野鹿的踪迹。泰山这时食欲更旺盛了，他满心快乐，低低地咆哮了一声。他觉得野味之中，最好吃的就算鹿肉了。于是他循着上风头，跟着鹿的脚印找去。这一路上，他遇见了好多头野猪，都没有理睬就放过了它们，他现在一心一意只想吃鹿肉。

渐渐追近了，泰山重又跳上树去，在下层的枝叶间走着，留心寻找着那鹿。这时他的视觉、嗅觉、听觉都集中在鹿的身上。在林边的一块空场上，他终于找到了那头长着长角的梅花鹿，它正站在月光里，并没发现危险离它越来越近。泰山轻轻纵身过去，到了鹿头顶的树上，他右手紧紧握着长猎刀（这刀还是父亲遗留给他的），趁鹿不注意，直跳下来，不偏不倚正好骑在鹿的背上。鹿忽然受了这一下重压，当然支持不住了，前腿跪了下去，接着整个身子也跌倒了。泰山的动作非常敏捷，手里的猎刀直刺进鹿的胸部，这一刀已足够送了它的命。泰山一只脚踏在鹿身上，刚准备发出一声胜利的长啸，可是当他抬起头来，还没张嘴的时候，忽然嗅到了一股特殊的味儿，于是他闭住嘴，没有出声。他睁大了眼,向上风头望去,不大会儿工夫,就见一只硕大的雄狮从草丛中奔出来。雄狮走到空场上就停住了,凶恶的黄绿色的眼睛直视着泰山。

泰山对着狮子咆哮了一声,狮子也回应了一声,但并没有立刻扑上来,只是不停地摇摆着长长的尾巴。泰山见它没有向自己进攻,心想何不跟它开开玩笑呢?于是他从鹿身上割下一大块热气腾腾的肉,津津有味地大嚼着,还不时有意地看狮子一眼,故意引逗它。那狮子本来就很饿,见他美美地吃着鹿肉,一点也没有怕自己的样子——它还从来没见过人类敢在自己面前这样洋洋得意,十分恼怒,眼中闪着凶焰。它之所以不马上跳过去,是因为它觉得眼前这个人太不可理解了。泰山边嚼着鹿肉,边向狮子咆哮着。这只狮子从来没见过泰山,但它曾经吃过人肉,根据它以往的经验,人是最怯懦的动物,一见了丛林中的猛兽,往往是赶快逃跑,即使拿着一种能放出火来的木棒,也很少有人敢打狮子,大多是忙不迭地逃命,眼前这个蹲在鹿身上的动物明明也散发着人的气味,怎么这样大胆,和自己过去见过的人完全不同呢?狮子这时又饿又怒。泰山虽然大肆嚼着鹿肉,但他并没有放松警惕,眼睛一直紧紧盯着狮子。他熟悉狮子的性格,它决不会在这样的挑衅面前放弃美食而走开,况且,泰山看得出来这是一头饿狮,随时都有扑上来的可能。泰山一边吃着,一边作好准备。他预先割下了一条鹿腿,腿的上端带着一大块肉,这时狮子竖着尾巴扑了上来,他以迅雷不及掩耳的动作,用牙齿咬住鹿腿,一下就跳到树上去了,狮子拿他一点办法也没有。

泰山这时的退避并不是因为恐惧。丛林生活有它自己的法则，是与人类社会的法则大不相同的。如果泰山此时正处于饥饿之中，那么面对狮子的挑战他丝毫不会让步，甚至会杀死它，过去他曾经不止一次地这样做过。可是今晚他已经如愿以偿地吃到了鹿肉，而且身边还带上了足够他吃好几顿的新鲜鹿肉，所以他只是带着一种悠闲的心情，在树上看着狮子贪婪地大嚼他丢下不要的鹿肉。不过，他对这头陌生狮子刚才那种飞扬跋扈之态颇有些愤愤不平，所以觉得应该捉弄它一下，让它知道点厉害。泰山等它撕扯着吃了一阵之后，决心不让它过分安稳地吃现成饭。他向周围看了一下，恰好附近的树上有许多坚果，于是运用他灵敏的肢体，东跳西蹿地摘了很多，然后坐在树上，不停地向狮子投掷下去。他密集地投下的一阵阵坚果，像飞蝗一样，都准确地打到了狮子身上。这头棕色的大猫简直无法继续安稳地吃它的美餐了，它不停地张牙舞爪着，咆哮着，向四围寻找，可它根本找不到对手在哪里，当然也就无法扑过去咬他。但是不断打来的坚果又实在把它打扰得受不了，最后，它只好极不情愿地丢下尚未吃完的鹿肉走开。这时，泰山出了气，也确实感到心满意足了。

狮子虽然迫不得已地走开了，可是它心犹未甘，频频回头看那堆鹿肉，它很想把死鹿拖走，也试探着这样做了几次，可是都没有成功。只要它一往回走，泰山的坚果就又打来，使它无法靠近死鹿，每失败一次，它就咆哮叫闹一阵，这样在林中的空场上闹了好些时候。突然它安静了下来，泰山借着月光仔细向狮子望去，只见它已经不再注意那堆鹿肉，大脑袋贴着地面向前伸去，身体也伏在地上慢慢向前移动，尾巴一蔫一蔫地在身后甩着，它的目标似乎在对面的树丛里。泰山明白,有新情况了,他不由得警觉起来。

泰山蹲在树杈上,往狮子对面的丛林中望去,同时也注意用鼻子嗅着,觉得风中飘来了一阵人的气味。泰山明白了,狮子一定看见人了,它要去杀人!泰山马上意识到,自己应该去救人。于是他急忙把手中的鹿肉在一个树杈上挂好,把两手的血迹在两腿上擦干净,跳下树去,追那狮子。穿过空场,到了树林中,原来这里有一条很宽阔的林中路。越往前走,越是林深树密,泰山恐怕遇到危险,于是又跳上树去,在树上追着狮子。不一会儿,泰山和狮子同时都看见对面来了一个黑人。泰山的嗅觉经过多年的锻炼,已是超常的敏锐,不但可以辨别各个部落土著人的气味,甚至可以分辨男人或女人的气味。这次凭嗅觉,他判断这是一个老年的陌生人。又过了一会儿,稍能看得清楚一些了,他看到是一个单独行路的老人,憔悴枯瘦,身披一件狼皮,干枯的狼头还顶在他头上。泰山从他的服装上判断,知道他是土著人部落中的一个巫医。本来泰山对巫医一向没什么好感,他厌恶他们欺骗有病或有困难的黑人,借机骗取他们的财物。所以泰山一看出是个巫医,就开始带着一种幸灾乐祸的心情,在一旁观望着。但在狮子即将扑向老巫医的一瞬间,泰山猛地想到,这个老巫医毕竟属于人类,而且已是老态龙钟,他不由得动了恻隐之心,何况自己刚才还对这头雄狮的霸道憋着一肚子气。泰山念头一转,决定去救这个可怜的老头,不让那狮子杀人。

那个老巫医孤身一人深夜经过丛林,心里本来就害怕,不料进了丛林,走了连一半路都不到,忽然从草丛中蹿出一头巨大的雄狮来。老人的反应和动作都慢，等他明白是怎么回事，想要躲避时，已经来不及了。现在情况已经十分危急，如果等狮子朝巫医的喉咙咬去，恐怕就无法救了。泰山非常及时地从树上跳下，正好骑在狮子背上，右手抓住狮子的鬃毛，左手挥起长猎刀，从狮子的左肋直刺进去，同时用自己的利齿咬住狮子的颈皮，两条结实得像铁箍一样的大腿紧紧夹住狮子的腹部。狮子受到这意外的袭击，狂怒地大吼一声，放开巫医，就想对付背上的泰山，却没料到今天遇到了这么厉害的对手。不管它怎样蹿、跳、扭动身体，都无法把泰山从背上甩下去，而泰山的长刀却从容地拣狮子的要害处一刀一刀刺去。狮子倒在地上打着滚，伸出前爪想抓泰山，张开大口想咬泰山，泰山闪转腾挪，非常之快，狮子怎么都伤不着他。狮子身上已经多处受伤，泰山拼命抓住不放，一身上下都溅满了狮子的鲜血。此时泰山心里明白，狮子是会做垂死挣扎的，只要他一松手，仍有生命危险，所以他始终不敢歇手，继续用猎刀刺向狮子的心脏部位。那巫医虽从狮子爪下挣脱出来，但已经受了重伤，躺在地上爬不起来了，只是大口大口地喘着气，睁大了眼睛惊恐地看着这一人一狮做殊死的决斗。他从来没见过如此勇武而有神力的人，他目不转睛地盯着看，皱纹重叠的嘴唇在嚅动着，暗暗祷告神，帮助这个人战胜狮子。

没用多长时间，巫医就看见这个陌生的半裸白人彻底战胜了狮子，那头谁见谁怕的兽中之王遍体鳞伤，躺在地上不动了。

那老黑人巫医伤势很重，已是奄奄一息，但他还是把眼睛睁得圆圆的，看着这高大的半裸白人只凭一把猎刀，居然杀死了一头威风凛凛的雄狮，如果不是亲眼看见，他实在是不敢相信。他在惊奇中仔细打量泰山的面貌,有一个很久远的印象忽然在他记忆中浮现出来。那是很多年以前的事了,他记得在丛林中曾看见过一个很瘦弱的白种孩子,常和一大群人猿一起出没,有时也到他们居住的村落里去。眼前这个半裸体白人,竟和当年那个白种小孩面貌有些相似,巫医当时还在壮年,算来这个孩子也该成为大人了,眼前的这个人难道真是他吗?

巫医想到这里,不禁吓得发起抖来,几乎不敢再往下想了。原来土著人都非常迷信,长期以来,他们总认为丛林中有个大神,管辖着那些猛兽。因此,他疑心眼前这个人就是林中的大神,如果是普通的人类,谁能有这样的勇敢和神通?他呆呆地想着,眼睛不觉转到狮子身上,只见狮子流了很多血,已经完全断气了。这时只见这位林中大神跳起来站在死狮身上,昂首对着明月,发出一声长啸。这种声音完全不像从人的喉咙中发出来的,让人听了,吓得血液都几乎要凝固住。那巫医听了这一声长啸,真是魂不附体了。

四
预言应验

泰山长啸过后，回过头来看那巫医，见他已吓得半死不活。其实，这次泰山杀死狮子并不完全是为了救他，一半是出于对他的怜悯，另一半却是想打掉狮子的霸气。但现在，他面前这个老人倒在地上，挣扎不起来，倒确实引起了他的仁慈之心。如果泰山在少年时遇见这个巫医被狮子捉住，他是决不会救他的，即使狮子不咬死他，泰山也会杀掉他。但现在的泰山不同当年了，他在文明社会里已生活过多年，当年在兽群中养成的野性丢失了一大半。他看这老人气息奄奄，非常可怜他，就走到他身边，蹲下来，抚摸他的伤痕，心里在想怎样给他包扎起来。

狮子虽然死了，可那巫医心里还在害怕，他用颤抖的声音问："你是谁呀？"

泰山回答说："我是人猿泰山，也就是英国的约翰·格雷斯托克爵士。"

巫医听了，闭上眼睛，看他的样子，似乎在努力回忆着什么。实际上巫医心里确实在转着念头，他曾经听人说起过关于泰山的事，同时他也知道泰山深深憎恨他们这种当巫医的人。他想，今天虽然从狮子嘴里侥幸捡了一条命，却又落到泰山的手里，恐怕还是难逃一死。他索性睁开眼睛,直视着泰山问道:"你为什么不杀了我呢?"

泰山有点不解地问:"我为什么要杀你呢?你又没有害我呀!你被狮子咬伤,伤得很重,我在想怎样救活你呢!"

巫医听了,又惊又喜,带着一种很复杂的心情,提高声音问道:"你真的不打算杀我吗?"

泰山回答说:"你受的伤太重,又年老体弱,我恐怕无能为力了。我真不懂,你为什么认为我会杀你呢?"

老人沉默了一会儿,振作一下精神,慢慢地说:"我从前认识你,很久以前,你常到我们孟格村来。当时我还在壮年,是孟格村的巫医。刚才我见到你的时候,因为隔的年代太久了,一时没认出你来,现在我想起来了,你就是当初和一群大猿在一起的那个小白猿。有一段时间,我们村里的人把你当作森林之神,老害怕你来,常常在门口放些食物,作为给你的供品。现在趁我还有一口气,请你告诉我一句实话:你到底是人,还是魔鬼?"

泰山忍不住大笑,说:"我当然是人,还能是什么?"

老巫医吃力地点了点头说:"你从狮子嘴里救下了我,我实在非常感激你,现在我已经是垂死的人了,没有其他办法再报答你的大恩。几十年来我当巫医,确实积累了一些经验,我能预卜未来的祸福。请你好好听着,我看到了你的前途,非常黑暗,这是用我自己的血,抹在手掌上,从血光中看出来的。似乎有个什么非常邪恶的大神要跟你作对。你的四周布满了厄运,在那里伺机害你。你赶快回头,往回走,可以躲开灾难,要不然,你后悔就来不及了!再往前面看,还有更可怕的危险。我看见了……"

巫医说到这里,长长地吐了一口气,头向后一仰,全身瘫软无力,话没说完就死去了。泰山现在已无法再问明白他到底看见了什么。

泰山就地挖了个坑,把巫医的尸体埋好,然后朝自己的帐篷走去。等他回到帐篷的时候,已是黎明了,那些瓦齐里武士还没有醒,所以没有人发觉泰山曾经离开过。泰山回到帐篷之后又睡了一会儿,在睡着之前和醒来之后,他都仔细思考了老巫医临死时对他的忠告,想来想去,又觉得不太可能,自己到奥泊城是轻车熟路了,会有什么危险呢?前一次都上了祭坛,眼看就要丧命,还不是平安地出来了吗?泰山是个勇敢的人,他坚信自己的力量能战胜困难,况且,巫医的话多半是无稽之谈,可以不去理会。这个时候,他如果知道自己的爱妻琴恩在庄园里已经遇到了危难,他一定会日夜兼程地飞奔回去,任凭奥泊城有多少黄金,他也不会去拿的。

另外还有一件事泰山也没有发现,就是第二天早晨出发的时候,在他们的队伍后面,有一个白人在远远地跟踪着。昨晚,后面跟着的那个白人听到一声震动丛林的长啸,几乎比狮吼更可怕。他吓得魂飞魄散,简直不知道如何是好,这人就是沃泊尔。他本来很安全地睡在静静的夜色中,听到这一声非常奇怪的长啸(他从来没听到过这种声音,辨别不出来是人是兽,还是什么魔怪),吓得头发都竖起来了,只好一头钻进被窝里,连大气都不敢出。直到第二天太阳升起了,他还在微微发抖,若不是害怕阿奇米特残酷的刑罚,他简直想半路溜回去了。

泰山带着队伍启程之后,一路往前,心里倒没有什么不安。沃泊尔却是心惊胆战,远远地尾随着泰山,跟他们一样晓行夜宿。没有几天的工夫，就到了荒谷的边上，奥泊城里圆形的屋顶和尖塔都已遥遥在望了。

泰山考虑得十分周密，唯恐有什么地方不妥，坏了大事，所以先嘱咐部下找一个幽静的山谷，暂时驻扎下来。他准备到了夜里自己一个人先去探视一下，然后再来招呼部下。沃泊尔也在时时注意着泰山的动静，他知道到了地方，泰山一定会有动作的。到了夜里，他望见泰山一个人出去了，就小心翼翼地跟在后面，可又不敢跟得太近，怕被泰山发觉。为了看得更清楚些，他绕道上了一处峭壁。

沃泊尔找到一块大石头，藏身在这块石头后面，等看准了泰山的路径，就跟踪他进奥泊城去。这种大石头在这一路上，甚至直到宝藏的夹道口，到处都有，并不引人注意，沃泊尔利用这些大石头挡着自己，一路追上去，泰山并没有察觉。沃泊尔远远望见泰山跳上了一座高峰，于是他就从自己所在的地方向那座山攀登上去。石头表面受风雨的剥蚀，已经变得很光滑，再说他走山路的能力又远远不及泰山，直到弄得满身大汗淋漓，才到了那座山顶。

沃泊尔登到山顶时，再看泰山，已经不见了。他不敢冒冒失失再走，怕走错了路遇到危险，于是躲在一块石头后面守望着，想看泰山从哪里出来。谁知等了很久，始终不见泰山重新出现，他侧耳听了听，甚至连一点声音也没有。他想不如试探着去看一看，估计宝藏的进口就在这里，不然，泰山不会进去这么长时间还不出来。他想不如趁泰山还没出来，先认好路，等泰山走了之后，自己马上去召集部下来搬取黄金。这时，沃泊尔一心一意只想得到黄金，没打算害泰山。他想自己只要发了大财，就可以摆脱阿奇米特那个恶魔了，平素与泰山无冤无仇，害他干什么？

沃泊尔东找西找，找了好久，最后在一块石头的旁边，很不容易被人注意的地方，找到了一条狭窄的缝隙。从这里向下望去，有一条已经磨得很光滑的花岗岩石梯，他观察了一阵，觉得似乎没什么危险，就顺着石梯蹑手蹑脚地走了下去。走到石梯的尽头，黑暗处有个洞门，他怕泰山从这里出来，迎面碰上就不好办了，所以不敢贸然进去，只是躲在一个黑暗的角落里窥探着。

再说泰山，他到这里来已是熟门熟路，所以他一直走下去，经过沃泊尔所见的洞门，走到一扇木门跟前。他早就知道了开门的方法，不一会儿，就进到了贮藏黄金的那间屋子。他看了看，一切都还和从前一样。多年以前，不知哪位探险家费了九牛二虎之力，在这里藏了无数黄金，可能是准备随时取用的，也不知后来他遭遇到了什么，没能再回来。如此一座金库，莫名其妙地留给了奥泊城里这群信奉太阳教的人，可惜这群人不懂得黄金的用途，任其堆在这里，如同废物一般，现在倒正好为自己取用。

泰山到了里面，侧耳听了听，什么声音也没有，一切都和自己上次来时一样。泰山断定这个地方除自己来过一次之外，肯定没有第二个人来过，心里感到非常满意，由此他也确信，自己今天再来这个地方，危险性不大。他四下里打量了一会儿之后，立刻转身出来，循着来路向外走了。沃泊尔躲在黑暗处，看到泰山出来了，知道自己这条路径是找对了，同时也料定泰山是去召集部下来搬运黄金了。于是他等泰山走远了之后，也摸索着走进去，居然也进到了宝藏所在地。

泰山走到山顶，学了一声狮子的吼叫，等了一小会儿，又拖长声音吼了两声，到第三声叫完的时候，远处也传来了同样的狮子吼声。泰山知道他的部下已经听见了，便又用三声狮吼作答。原来，这是泰山事先和瓦齐里酋长比苏里说定的暗号。泰山通知完部下之后，独自一人又回到金库去，因为他知道，他的部下要好几个小时之后才能上得来。他想自己先去多搬点黄金，放在山头上，等部下来了搬着就走，这整个队伍就不必在黑暗中走许多狭路。

在比苏里等人到达山顶之前，泰山独自一人已经搬了大约五个小时，来回搬了六次，每次搬运八块。普通人是搬不了这么多的，泰山经过在兽群中的锻炼，才有这样的神力，对他来说，搬八块还不算太费力。他不愿让瓦齐里武士们太辛苦，所以又替他们从山顶搬到山下，堆积在大石块的后面。他知道部下的搬运能力远不及他，自己虽辛苦了些，可这样能省很多时间。

泰山来回搬了六趟，沃泊尔躲在黑暗里看得清清楚楚。金库里面非常宽阔，沃泊尔屏住呼吸，站在一个角落里，这样就不会被泰山发现。泰山第七次进去的时候，瓦齐里武士们已经赶到，而且把山脚下堆积的黄金都搬走了。于是泰山带着五十个人一齐进了金库。瓦齐里武士们对泰山的命令非常服从，他们对泰山的爱戴，几乎比对自己的酋长还要深些，泰山要他们做什么，他们是从来不会说个不字的。泰山也非常体恤部下，知道他们走山路不易，叫他们每人只搬一块，自己顺手又搬了两块出来，这一趟共计搬了五十二块，和前六次搬出去的四十八块加到一起，正好是一百块了。他心里算了算，觉得够用了，就满意地吩咐部下，不用再搬了,可以回庄园了。

泰山等武士们都走了之后,又回到金库,用带在身边的蜡烛向金库的四周照了一下,觉得里面的黄金还是满满的,自己搬运了两次,仍旧看不出什么痕迹来。他正要吹灭蜡烛出去,这时,前一次自己到这里来的一些往事,不觉又在记忆里浮现出来。记得那一次误入这里,从路的另一头走到奥泊城太阳教宫殿的下层秘室,那个地方竟是祭祀太阳神的祭坛,自己和琴恩几乎在那里送了命。另外,他还记得有一个叫兰的女主教,那次自己被太阳教教徒捉住,捆绑着送到祭坛上,坛前拥挤着许多怪模怪样的男女教徒,每个人的手里都托着一个金杯,只等女主教手里那把锋利的尖刀刺进祭品的胸膛,他们就可以去盛滴下来的鲜血了。泰山记得那次正当自己命悬一发的时候,幸亏有一个发了疯的男教徒扰乱了祭场,那疯教徒还和女主教打了起来,女主教处于十分危险的境地。他抓住机会,杀了疯教徒,救了女主教。后来女主教兰为感谢救命之恩,把他隐藏在一个密室里,他才从密室摸索到这座金库里来。

泰山面对着一堆堆的金砖,又想起了重重往事,不禁浮想联翩,他想起了那位曾救过自己的美丽的女主教兰,不知她现在如何了,是不是还在太阳宫里当主教?记得她从前曾说过,不愿和那些畸形的教徒结婚,可是这么多年过去了,她能抗拒得了长期流传下来的旧习吗?是否受了教礼的束缚,已经下嫁给哪一个教徒了呢?假如这样,实在是可惜了那么一个美丽而聪慧的女子!泰山沉思了一阵,又觉得想这些无益,最后摇了摇头,吹灭蜡烛,走向洞口。

藏在泰山后面的沃泊尔吓得胆战心惊,唯恐泰山的烛光照到自己,如果打起来,他决不是泰山的对手,所以巴不得泰山早一点出去,只有等泰山走远了,他才敢出来,去招呼部下,也进来搬运黄金。他可比泰山贪心,他打算能搬多少就搬多少,反正多多益善,黄金到手,就远走高飞,尽可以享乐一辈子,既不受军规的约束,也不用在阿奇米特手下整天看着他的眼色,提心吊胆地过日子。

后来,瓦齐里武士们已经走到地道尽头,抬头能看见满天星斗了,泰山跟在他们后面,慢慢走出金库的门,顺手把门轻轻带上。在金库里的沃泊尔,一门心思都在黄金上,当然没有听见泰山关门。他贪婪地用手摸着一块块金砖,满心喜悦,又搬下一块来捧着,在手里掂了掂分量,觉得很重。他抱着那块金砖,蹲在黑暗处,心想这可是到了手的财宝,几乎要笑出声来。

泰山心里也十分高兴,足够用的金子已经到手了,他想马上可以回到庄园,一来亏损的家业可以补上,还绰绰有余,二来又可以回家和琴恩团聚。想到此,他心里万分高兴。但是不知为什么,那个老巫医临死留给他的预言在他心里总有一个阴影,怎么也抹不掉,尽管取金子十分顺利,似乎也不再会有什么危险,可是那老巫医临死的目光、低哑而又肯定的语气,还是禁不住使他打了一个寒噤。就在这一刹那,山上忽然发出一阵巨大的声响,地动山摇,几乎让人站不稳脚。这突如其来的变化,把金库外的泰山和金库里的沃泊尔两人心里的快乐击了个粉碎,尤其是沃泊尔,不知发生了什么事,吓得魂不附体。金库外面的泰山被不知从何处飞来的一块大石头击中了头部,当即倒在地上。

五
太阳神的祭坛

且说泰山离开了金库门口,正想顺着地道走到外面。开始时外面非常平静,什么声音都没有,走了没有几步,忽然发生了地震,两边的石壁坍塌下来,大小石块像阵雨一般落下,几乎立刻把地道填平了。泰山对这突如其来的变化来不及防备,被一块飞来的大石头打中了头部,虽然疼得很厉害,但还只是处于半昏迷状态,没有完全不省人事。他想,要避开危险,只有顺着石阶下去,再回到金库门口。于是他尽全力顺石阶滚下去,由于他向下滚的力量很大,再加上他身体的重量,把金库的门一下给撞开了。受了这一猛烈的震动,他真的支持不住了,躺在金库门口晕了过去。

金库里面震得并不厉害,只有堆得过高的几处地方掉下些金块,石屋的顶部塌了一个小角,墙壁并没有倒塌。沃泊尔听到外面巨大的声音,也感到了整个建筑物的微微摇晃,他吓坏了,伏在地上,动都不敢动。直到震动停止了,又过了一会儿,他试着转动一下身体,觉得没有受伤,才赶忙站了起来。

沃泊尔记得泰山放蜡烛的地方,似乎在某一处的金块上,他便在黑暗中摸索过去,果然找到了那根已燃得很短的蜡烛头。他马上划了根火柴,把蜡烛头点燃了。他在黑暗中简直被吓坏了,现在有了这微弱的亮光,让他壮起了胆。

有了亮光之后,他把视线转到金库的门口。现在的沃泊尔只剩下害怕,连金子都不想要了。他唯一的念头就是如何逃出这个险境,只要一条活命就心满意足了。哪知他的目光才移到门口,他又吓呆了。只见一个半裸体的高大白人躺在金库门口,把出去的道路完全堵住了。他仔细一看,正是泰山,吓得连忙退了回去,很想把蜡烛吹灭,躲藏起来。再看看泰山,却一动不动,头上破了一个洞,地上还流着许多血,沃泊尔心想,他是不是死了呢?

沃泊尔很快溜到门口。他并不想去救泰山,也不打算试试泰山还有没有呼吸,他只想如何从泰山身上跨过去,赶紧逃命。

沃泊尔小心翼翼地从泰山身上跨过去,唯恐惊醒了他。可是当他走到门外时,他的心又凉了,原来门外的那条地道完全被崩塌的石块堵塞了,根本走不过去。他只好退回金库,又壮着胆子从泰山身上跨回来,心里又急又怕,想不出该怎么办。他走到一个隐蔽的角落坐下来,定了定神,又摸到那个蜡烛头,点燃起来,想找另外的出路。他仔细搜寻了一阵,居然在对面墙上发现了一扇门。沃泊尔得到了这一线希望,也顾不得想一想门那边是吉是凶,便拼着命去推那扇门,推了半天,好不容易才推开,门外是另一条狭窄的甬道。他举着蜡烛走进这条甬道,只见这也是一条约有二十尺高的石阶。刚才在金库里,泰山拿着这根蜡烛东照西照时,他曾非常恐惧这一点烛光,恨不得它赶快灭掉,现在他却由衷地感谢这一点如豆的烛光了,因为在他行走的这条石阶形的暗道中,迎面出现了一个大坑,如果没有蜡烛的光亮,他必然会掉在这个深坑里,那后果就不堪设想了。他借着烛光向深坑的对面望过去,坑的前面有一根圆柱。他又把烛光向坑底照去,觉得下面好像有什么东西在闪亮,他再定睛一看,底下却是一片清水。原来这就是当年泰山经过的那口古井。他又把蜡烛举高,顺着坑边往上照,发现坑的对面也有一条暗道,他觉得有路可通了,不禁心头一喜,但转念一想,底下是水,自己怎么才能过去呢?

他再三地用眼睛估量着距离,总觉得跳过去太冒险,可是四顾周围,又实在找不到能帮助他过去的工具。最后他咬了咬牙,前面只有这一条路,只有跳才能过去,看来,这次是非冒险不可了。正在他又害怕又犹豫的时候,忽然听到一种非常奇怪的声音,这声音不大,却阴森可怕,听了几乎使人发抖。他侧耳听去,似乎在较远的地方,有人在压低了嗓子呐喊,又像是在幽幽地哭泣,中间还夹杂着一声拉长了的号叫,好像一个人受到突然袭击时发出绝望的声音,紧接着又是几声极惨厉的呜咽。他仔细辨别了一下,那声音似乎是从上面来的。沃泊尔抬头向上面一看,见是一个很大的洞,从洞里可以望见天空,连天上的星星都能看见。

他想,井上如果有人,向上面呼救也许是个可行的办法。可是他忽然又觉得不妥,那种奇怪而又可怕的声音既然从上边传来,那么,上边也未必是什么安全的地方,而且自己和奥泊城的人从没打过交道,不知吉凶祸福,不便轻易露面。沃泊尔这时处于进退无门的境地,真是后悔莫及。如果现在能够活着回到阿奇米特·泽克的营地去,真是他求之不得的事。只要能逃出这个危机四伏的地方,即使要他去刚果自首,他也心甘情愿。

他又静静地听了一会儿,那可怕的声音没有了。于是他镇定下来,准备运足了力气,跳过井,到对面的暗道去。下定决心之后,他就向后退了二十几步,然后迅速向前飞奔,借着冲力,向对面的暗道口跳去。还算万幸,他真的跳过去了,只是他手里的蜡烛在他跳的时候,被空气吹灭了,他是摸着黑跳到对面的。

在黑暗中他刚想站起来,不料膝盖在道口边碰了一下,几乎摔下去,幸亏他手脚敏捷,一只手抓住暗道口的边缘,另一只手赶快丢掉蜡烛,也拼命抓牢。他挣扎了一阵,还是没能上去。他觉得力气不够了,不敢再动,就这样双手吊着休息了一阵,然后猛地一用力,总算爬了上去。

当他安全爬到对面的地上以后,像度过了一次生死劫难,心里感到非常愉悦。于是他又去找那根丢掉的蜡烛头,幸好他在慌乱之中没有把蜡烛头丢在井里,而是扔在这边的暗道口里了。他摸了一阵,最终还是摸到了。在这伸手不见五指的黑暗中,要找一条逃生之路,这蜡烛的光亮对他简直是太宝贵了。这时,他的气力和勇气都所剩无几了,但他明白,必须往前走,死守在这里终究不是办法。他坐在这里休息了一阵,重新鼓起勇气,从袋里掏出火柴,把蜡烛点燃。在这一丝光亮的照耀之中,他又静坐了一会儿,观察了一下四周,觉得身上的力气恢复一些了,于是站起来,顺着暗道向前走去,继续寻找出路。这时他心里又不禁想起刚才听到的奇怪而又可怕的声音,深恐会碰到什么怪物,脚虽向前走着,心里却吓得咚咚乱跳。

他往前没走多远,迎面碰到了一堵墙,挡住了他的去路。沃泊尔是个聪明人,读过书,而且受过相当的军事训练,因此,遇到这种情况,他并没有慌,只是在墙的四周搜寻着。他想,既然是一堵隔墙,墙的另一边一定还有暗道,说不定墙上会有暗门的。于是他用蜡烛照着,在墙壁上仔细寻找,希望能找到什么不一样的地方。搜寻了一阵,他终于发现墙上有一块地方与别的地方不同,这里的石块仿佛只是搁上去的,石缝之间没有用石灰砌死。他于是挑了一块小一点的,试探着往下搬,果然没费多大劲,就搬了下来。他心里非常高兴,又一块一块地继续搬,一直搬到足够他钻过去为止。他拿着蜡烛,小心地从洞里钻了过去。钻出去一看,另外还有一扇门,这扇门并没有上锁,他用力一推,就推开了,门外是一条黑暗的走廊,也不见有人影。这时,沃泊尔手里的蜡烛已经烧完了,滚烫的烛油倒流下来,烫疼了他的手。他没有别的办法好想,只好把蜡烛头丢掉,然后战战兢兢地在黑暗中摸索着,慢慢地向前走去。

这条走廊仿佛很长,沃泊尔用手摸着墙壁,用脚尖试探着,一步一步往前走,走了好半天,还没有走到尽头。这时他已经十分疲倦,心想不如先坐下来歇一歇,谁知这一歇,他竟倚着廊柱睡着了。他睡得很香很熟,等他醒来时,自己也不知道到底睡了多长时间,他只觉得身体恢复了,精力又充沛起来。四周的环境与他睡前也没什么改变,他伸个懒腰,又坐了一会儿,忽然觉得肚子饿起来了。

沃泊尔想,总得想办法找点吃的东西,于是他站起来,在黑暗中继续摸索着往前走,但这次没走多远,就看到前面有一间屋子,门是开着的,于是他走了进去。屋顶上有亮光透下来,屋里比较明亮。屋子的一边有个台阶,他走过去一看,从台阶通下去,下面是一间更大的屋子。阳光从上面直射下来,屋顶的圆柱上爬满了藤蔓类植物。他静静地听了听,只有风吹叶子的沙沙声,其间也能听到小鸟的叫声和猿猴的啼鸣,此外,再也听不到别的声音。

沃泊尔探头向下看了看,觉得似乎没有什么危险,于是就大着胆子走了下去。下面的屋子是圆形的,迎面有一方用石头砌的台子,台子上有很多黑紫色的斑点。最初沃泊尔没看清那些斑点是什么东西,仔细一看,原来是重重叠叠的血迹,他不觉大惊失色,不知道自己闯进了什么地方。只见石台后面还有一排门,这间圆形屋子的四周全都是长廊,这些长廊比屋子高,好像戏院里的包厢。四周有些小鸟在飞翔着,时不时也有些小猴子跳来跳去,却不见有一个人影。沃泊尔松了一口气,想找点东西充充饥,然后赶快找路逃出去。哪知他刚要举步,一个猝不及防的变化发生了,顿时吓得他魂飞魄散。原来绕着圆屋的十多个角门都刷的一声打开了,蹿出一些奇形怪状、十分丑陋的矮人,一齐拥过来捉沃泊尔。

原来这些奇丑的矮人就是泰山从前见过的奥泊城太阳教教徒,几年前捉泰山和琴恩上祭台的就是他们。他们长着长长的手臂,弯弯的短腿,窄窄的额头,两只小眼睛促在一起,猛一见,实在吓人,丑得不能再丑,人不像人,兽不像兽的。沃泊尔见了,吓得不禁大叫一声,准备拔腿从原路逃回去,他觉得与其被这些东西抓住,还不如死在井里来得痛快些。那群矮人发觉他有逃走的打算,很快就围上来,把他截住了。沃泊尔见已没有逃路,恐惧到了极点,只好跪在地上苦苦哀求。那些人似乎不懂他的语言,根本不理睬他,非常熟练而敏捷地把他捆绑了起来,捆了个结结实实,然后放在一边,准备开始他们的祭礼。祭礼的准备过程都和过去对付泰山和琴恩一样,他们把他扛起来,重重地摔在祭台上。那些矮人嘴里不知在念诵着什么,过了一阵,一群稍像人样的女教徒簇拥着美丽的女主教兰出来了。兰拿着一把雪亮的钢刀，这是他们的圣刀，走到了沃泊尔跟前。沃泊尔心里明白，自己的生命就要结束在这把刀下了，吓得浑身都被冷汗湿透了。他看见每个教徒的手里都拿着一只金杯，嘴里似唱似念地在诵着什么经文，已经猜想到，自己成了牺牲，这些矮人手里的金杯就是等着装自己的鲜血的。

　　人面临死亡时，心里大多是又恐惧又难过，沃泊尔也是如此。他希望女主教那把亮晶晶的刀刺进自己胸膛之前，最好自己就先死掉，免得受不堪忍受的刀割之苦，即使无法死去，哪怕昏迷过去也好，总之，他希望此时自己最好是没有知觉。正在他这样想着的时候，忽然听到一声可怕的吼叫，女主教那只刚刚举起刀的手，不自觉地又垂下来了，她的两眼也因恐惧而睁得大大的。这时，那些女祭司都大叫着发狂地向各个出口跑去，而那些男教徒似乎比女祭司们胆大些，他们还有勇气发出各种不同的带威胁性的喊叫声，同时各自做着不同的防卫动作。沃泊尔躺在祭台上，努力伸长了脖子，想看个究竟，到底是什么事引起了这么大的惊恐。他不看还好，一看，他也被吓坏了，原来竟是一头硕大的雄狮，不知从哪里钻进来，此时正站在殿堂的中间，它的前爪正按在一个矮人身上，那个受害者浑身是血。

　　现在这头丛林之王似乎不想再管爪下的那个猎获物了，正转身对着祭坛发出吼叫，它的黄绿色眼睛在幽暗的殿堂里发出闪闪的亮光。这时，女主教兰跟跄地向前迈了两步，一下子横着倒在沃泊尔身上，昏了过去。

兰拿着一把雪亮的钢刀,这是他们的圣刀。

六
阿拉伯人的抢劫

地震平静下来之后,瓦齐里武士们心里的恐惧也随之平静下来。他们迅即到通道处去找泰山,以及他们自己队伍中丢失的两个人。

他们发现通道已经被滚落的石块和塌陷的顶板堵塞了,于是开始清除。两天里,他们一直不停地工作,想要打开一个缺口,以找到被封闭在里面的泰山和伙伴。尽管他们拼死拼活地干,成效还是不大,被堵塞的通道只打开了几米远,到底让他们找到了一个血肉模糊的同伴的尸体。至此,他们不得不认为泰山和另一个瓦齐里武士多半也被压在某处的石头底下了,说不定已经死了,这谁又能断定呢?

他们决定还是继续向前挖,一面高喊着他们的主人和另一个武士的名字,但是始终没有回应,哪怕很微弱的声音也没有听见。最后,他们只好放弃了搜寻,含着眼泪告别了那散落着大石块、可能是他们主人泰山墓穴的地方,扛起那一块块沉重的金子,准备带回庄园去,他们一定要完成主人的遗愿。这些金块对他们那位突然失去丈夫的可爱女主人,至少算是一点安慰吧。他们带着悲痛和怀念,几步一回头地离开了荒凉的奥泊城,穿过丛林,向他们远方的庄园走去。

就在踏上归途的时候,他们还不知道,在他们那充满平和幸福的家乡里,已经发生了不幸的事故!

阿奇米特收到了沃泊尔的情报之后,马上带着他的人马往泰山的庄园上来了。和他一块儿来的,还有阿拉伯部落的另一群违法者和劫掠者。他们已经堕落得和当地吃人的野蛮黑人差不多了,他们从当地土著人那里掠夺食物,在这些黑人部落里肆意来往。

在乌干壁河上游丛林岛中就与泰山一起同甘共苦的莫干壁最先发现了这一群凶顽的行踪。莫干壁是奉泰山之命留下来保护格雷斯托克夫人的武士的首领,在这一支队伍里,谁也比不上他的勇武和忠实。他体魄健壮,而且保有野蛮人那种无畏的精神。他高大的身材和凶猛的劲头,也正好和他敏捷的思维相配合。

当主人泰山外出的时候,很多次都是他严密地守卫和警戒着别墅。甚至每当格雷斯托克夫人为了打破生活的单调,到平原上去骑马,或去追猎一些小野物时,莫干壁也没有一次不是骑着一匹高大俊伟的阿拉伯马跟在女主人的后面。

当那一群顽匪还在很远的地方时,莫干壁锐利的目光就发现了他们。最早,莫干壁只看见远处有一群移动着的黑点。后来,当他看清了对方来势不善时,便立即纵马向别墅附近的土著人居处驰去。他把那些闲散的武士都招呼到一起来,他们也都听从他的呼唤,带上了自己的武器和盾牌。另外他派了一些人到田野里去,召回在那里的老弱妇幼以及畜群。大部分武士都随着莫干壁向别墅的方向跑去。

当那一群入侵者在远处扬起尘土的时候，莫干壁还没法肯定他们是否是冲着庄园别墅来的。他是久居非洲的土著人，曾多次遇到过像今天这样的情况，一时难以确定对方到底是不是来犯者。有时他们会以和平的面貌出现，只是取道从此经过，但有时他们也会带来格杀和流血。基于多次的经验，莫干壁总是做好准备，他对那些贸然奔来的陌生人群总是保持着高度警戒。

格雷斯托克爵士的别墅并不利于防卫，它的周围没有护栏，但是它却建筑在忠诚的瓦齐里人居处的中心。主人当初建别墅的时候，可能认为没有必要防范什么人来进攻它，因为主人本人就是个少有敌手的英雄。当时只考虑了居住的方便，用结实的木结构和牢固的百叶窗遮挡了窗子的间隙，在平常的情况下，这也足以抵挡普通的来犯者了。现在莫干壁已回到别墅，他匆忙把窗子都关了起来。这时，琴恩正站在屋前的走廊上，她好奇而惊讶地问道："莫干壁！你这是要干什么？发生了什么事？为什么你这样匆忙地放下了百叶窗？"

莫干壁指着平原上现在已能看得很清楚的一群穿白袍的骑马者说："阿拉伯人，他们在大宛那不在家的时候跑来，只怕没什么好事。"他手脚并没有停，边做事边解释道。

琴恩朝莫干壁所指的方向一看，除了看见远处尘土飞扬，裹着一群骑马的不速之客外，还看见了属于庄园的瓦齐里武士们的队伍，她看到瓦齐里武士皮肤闪光的身体，阳光照射在他们手持的投枪和长矛的金属头上，发出一闪一闪的光亮。他们戴着各色羽毛软帽，映衬着他们褐色闪光的宽阔肩膀，处处都显出威武之态。

琴恩带着一种单纯的敬爱之情看着他们,并为他们感到一种少有的骄傲。她觉得只要和这些人在一起,她可以绝对地放心,决没有什么好怕的。

现在那群骑马而来的穿白袍的人终于停了下来,站在离琴恩和莫干壁一百多米远的平原上。莫干壁立刻走上前去,和他的武士们站在一起,然后一齐向前走了几步,提高声音,喝住了这一群陌生人。这时阿奇米特·泽克稳坐在他的马上,站在他的队伍最前列。

莫干壁高声喊道:"阿拉伯人!你们来干什么?"

"我们是带着和平和友谊而来的。"阿奇米特回答说,"我们此来,并没有什么恶意。"

莫干壁说:"既然如此,那么就请走吧!我们这里不是随便可以停留的。阿拉伯人和瓦齐里人之间一直没有什么好感情,我记得是这样的。不对吗?"

莫干壁本来不是瓦齐里族的土著人,因为他和瓦齐里人处得极好,他们都认他做同族,所以他也就以瓦齐里人自居了。

阿奇米特听了莫干壁的话,把马往旁边一闪,在他部下的耳边低声说了些什么,立刻,阿拉伯人向瓦齐里武士放了一排枪,瓦齐里人这边有两个人受了伤。瓦齐里武士急了,都怒不可遏地要冲过去,但莫干壁却阻止了他们。莫干壁虽然勇敢,但他非常小心,知道自己队伍的人数和武器都敌不过对方,如果冒失地冲锋过去,恐怕会失败,甚至全军覆没。他很冷静,马上命令自己的队伍退到花园的树丛后面,把全队分作几个小队,分别把守在庄前庄后的各个要道上。他还选派了六个人进去专门保护夫人,嘱咐他们一定不要冒险出来。这时,阿奇米特的队伍已经把队形变成了半圆形,向整个庄园包围过来,不断缩小包围圈,同时不停地放着来复枪。

瓦齐里人也在不断地还击着。这些武士们一直跟着泰山,早都练成了射击能手,阿拉伯人这边不断有人应声落马。但是阿拉伯人这边人多枪械好,几乎也都是弹无虚发。双方对射了一阵之后,越到后来瓦齐里人越寡不敌众,渐渐有败退之势,他们越退,阿拉伯骑兵就越是往他们跟前进逼。最后,阿奇米特见胜券在握了,就下令冲进庄去。两层树丛都被他们冲过来了,篱笆也被马踏得七零八落。

莫干壁见他们已经冲近庄园,再击退他们是很困难的,只好命令武士们暂时退下来,站在庄前,准备做最后的抵抗。琴恩此时也手握来复枪站在走廊上,她的枪法也练得不错,举枪打倒了好几个人。但到底阿拉伯人人数众多,还是拥了上来。莫干壁见势头不妙,急忙抢到琴恩跟前,请她赶快进屋去,自己率领着部下,用盾牌掩护着,拼命向外射箭。阿拉伯人的枪弹如雨一般射来,盾牌只能挡住毒箭和长矛,枪弹很容易就把盾牌穿透。

幸而在百叶窗后还有武士们帮着放冷箭,阿拉伯人几次冲锋都被他们射退了。阿拉伯人退到弓箭射不到的地方,拼命向庄园射击,枪的射程当然比箭远,到后来阿奇米特看出对方已经没有多少箭了,于是下了一个总攻的命令,大队人马边放枪边向前冲来,竟被他们冲到了走廊上。在这一阵冲锋当中,阿拉伯人也有十几个人被瓦齐里人打死,但这并不能挡住他们的攻势,一大队人马终于冲到了门口。阿奇米特命令部下用枪托砸大门。琴恩在里面用复枪向外射击，也打中了不少来犯者。这扇门的里外双方各有死伤。后来庄园里的人终于支持不住了，门被阿拉伯人冲破。这时，走廊附近一带地方已经堆满了死尸。阿拉伯人拥进屋来，直奔琴恩而去，这时，剩下来一些没受伤的瓦齐里武士围在琴恩四周，有的拉开弓箭，有的举着长矛，拼死保卫着女主人。站在最前面的是黑大汉莫干壁，那些阿拉伯人举着来复枪，准备向他们射击，阿奇米特赶快阻止他们："不准打死那女人，谁要是伤着她一点，我就处死谁。给我活活地捉来！"

阿拉伯人听了阿奇米特的命令，只好换用刺刀和手枪，瓦齐里武士还是用长矛抵御着。这样僵持了一阵，双方又都有些死伤。莫干壁的长矛刺进了一个敌人的肚子，由于用力过猛，一时拔不出来，于是他丢掉长矛，从别人手里抢过一支枪来乱打，这样一来，阿奇米特的人都没办法逼近。死伤越来越惨重了，瓦齐里武士这边眼看着人越来越少，最后只剩下莫干壁一个了！但他还是奋不顾身地保护着琴恩。

阿奇米特站在房子的对面观战，他手里握着一支镶有宝石的手枪，他在等待机会，只要莫干壁有一瞬间离开琴恩，他就会瞄准莫干壁打过去。他神情专注地等了一阵，这种机会果然被他等到了，阿奇米特扣动扳机，子弹射中了莫干壁，可怜这个忠心而勇敢的卫士，无声地倒在了离琴恩尺许的地方。

阿拉伯人一拥而上捉住了琴恩，夺走了她手中的枪，推推搡搡地把她拥出庄去。阿奇米特手下一个高大的黑人把她放在马背上，另外的阿拉伯人不待阿奇米特吩咐，就蜂拥进屋去抢劫财物，留下几个黑人在门口监视琴恩。琴恩看着那些阿拉伯人把所有的马都从马棚里牵出,把从屋里搜寻到的财物都捆在马背上,接着,他们又把牧场上的家畜也尽数赶来。等这一切都做完了之后,就放了一把火,然后押着琴恩和牛羊财物,往北方去了。琴恩回头看了看,只见浓烟从庄园里冒了出来,火舌也已蹿过屋顶了。这时,她心里难过极了,泰山留下的瓦齐里武士都英勇地全军覆没了,泰山和她辛苦经营的庄园就这样被烧毁,自己的未来吉凶未卜。这时,她是多么思念泰山啊!若有泰山在,哪会让这群阿拉伯人得逞!

庄园上的火渐渐蔓延到了内室,在一堆死尸中间,有一个身材魁梧的黑人忽然翻了一个身,睁开了血红的眼睛。这就是莫干壁,刚才阿奇米特以为把他打死了,原来他并没有死,只是受了伤,当时被震昏了。他醒过来之后,见屋子里燃着熊熊的烈火,火势很猛,加上浓烟滚滚,非常呛人。他一时不能挣扎着站起来,便用膝盖和肘部撑在地上往前爬,慢慢地爬到了门边。

他负着重伤,爬得非常吃力,每爬一小段路就要休息一会儿。火焰的热浪炙烤着他,伤处又很疼,有好几次他几乎又要晕过去。莫干壁凭着毅力,好不容易爬到了走廊上,沿着台阶滚了下去,这时,他已经用尽了全身的力气,在一丛灌木丛的阴凉处,他又不能动弹了。

这一夜自然没有人来管他,他一直躺在那里,昏一阵、醒一阵。他睁眼看看整个庄园,都快要烧成灰烬了,虽然他的伤处还在剧烈作痛,但他咬着牙,心里充满了仇恨。远处丛林中还有狮子的吼声传来,但他丝毫也不觉得恐惧,他的心里现在只有一个念头,那就是:复仇!复仇!

七
奥泊城的宝石库

泰山倒在金库门口,躺了许久许久,他被花岗石打昏了,并没有死。经过很长时间,他醒过来了,睁开眼睛向四周一看,都是黑黑的,什么也看不见。他觉得头上生疼,便举起手来摸,摸到一片冰凉湿腻的东西,他闻了闻手上,有腥腥的味道,知道是血。他虽然晕得有点迷糊,但这一点儿判断力还是有的。

泰山挣扎着站起来,侧着耳朵听了听,周围什么声音也没有,他颤巍巍地在黑暗中摸索着,无意中又摸到了堆着的金砖,他却不知道这是什么东西了。原来他脑部受了剧烈的震动,竟一时失去了记忆,甚至自己是谁,现在在什么地方,为什么要到这里来,自己头上为什么会有血,他一概都记不起来了,只觉得头上有一块区域特别的疼。

他又把手缩回来,摸摸自己的全身上下,他摸到了背上的箭袋,腰间的猎刀,还有围在身上的狮子皮。他皱了皱眉,苦苦地思索了好一阵子,好像模模糊糊记起了点什么,他记得自己是一个人猿,不错,是的,是人猿群中的一个,这不,箭和刀不都还在吗?噢!不对!他仿佛记起自己手里少了一样什么东西,于是他伏在地上,用手去摸索,细细地寻找着。终于他摸到了那件东西,原来就是那支很重的长矛。他进入文明社会之前，在猿群中生活的时候，全靠这些武器防身和猎食，印象特别深刻，这次醒过来想起来的第一件事就是检查自己的武器。这支长矛是他从一个蛮族黑人手里夺来的，是他有生以来第一件战利品，所以心里一直觉得特别宝贵。

泰山又向四周摸索了一阵，周围黑沉沉的都是石头，他心里很不痛快，因为他习惯的丛林完全不是这个样子，他急于想找一条路出去，出去了才不会这样黑，而且丛林里有新鲜空气。他继续摸索着，终于摸到通往太阳宫殿的那扇门。他毫不犹豫地就进去了，一直走上台阶，到了上层的暗道，他就顺着这条路向上走去。他根本不记得曾来过这个地方，也不记得在这条暗道上还有一口深井。他毫不戒备，在暗道上大步地往前走，一直走到井边，一脚踏空，跌下井去。这时的泰山倒不以为是自己失足跌下来，他直觉地以为有敌人攻击他，便本能地用长矛向下一刺，矛尖破开水面，带着泰山一直沉到了井底。

泰山浮上水面，甩掉头发上的水，顺着高高的井壁，他看到居然有阳光照进来。借着这一线微光，泰山看见远远的墙壁上有一个黑黑的大洞。他便游到了墙边，用手指抠住石头之间的缝隙爬了上去。他爬进洞口，里面虽然潮湿，却是陆地。他方才因为大意落入井内，现在他知道步步小心了，他似乎重新从生活里得出了一条经验：在黑暗中走路，必须格外谨慎才行。他完全不记得这个生活经验是他早就有过的。

他脚下的一条路虽然很黑暗，却是笔直的，地面上非常潮湿，好像被水淹过。泰山非常小心地走着，因而没有滑倒。顺着这条路走去，找到了一条向上的石阶，于是他又顺着这条石阶上去，路弯弯曲曲的，一直通到一间圆形的屋子里。这间屋子的建法非常古怪，没有窗户，只在屋顶中间开了一个洞，洞上直立着一个上百尺高的尖塔，像个大烟囱一样。从洞下面仰头向上望去，能够看见蔚蓝的天空和明亮的阳光。

泰山就借着屋顶透下来的亮光，仔细地环顾室内，只见屋里除了几个大箱子之外，再没有别的东西。这几只箱子却造得十分考究，比一般箱子要大得多，而且箱角上都用金银包了，箱鼻上还有黄铜做的链子。泰山不知道这是做什么用的，就摸摸箱子的四周，又摸摸铜链子，无意之中，箱盖竟被他打开了。

泰山一看箱子里，快乐得几乎跳了起来，只见满箱都是各种颜色的美丽发光的石子。由于他现在失去了记忆，心理状态完全回到了人猿时代，所以他认不出这都是光彩夺目、价值连城的宝石！他捧起一大把，让太阳光照着，然后慢慢放开两手，让它们一颗颗散落下去，只见这些石子在阳光照耀下光辉闪烁，艳丽夺目，他非常喜欢，又这样捧起来玩了几次。过了一阵，他又用同样的方法，打开了另外的几只箱子，里面竟也都是这样的石子，他只觉得一箱比一箱更好看，他捡出几颗石子来细看，有的像是精心磨过的，有无数个小的侧面，只要稍一转动，就光芒闪烁。他非常喜爱这些东西，觉得既美丽又好玩，于是就解下了腰间的袋子，挑选那光泽和颜色最好的，满满地装了一袋。原来，这些宝石藏在奥泊城圆形的殿宇中，已经有很多年代了，那些愚昧的太阳教教徒们只知诵经唱歌，杀生祭祀太阳神，此外再也不懂别的，加上他们崇尚迷信，怕受到神的惩罚，没有人敢到各处秘室搜寻，因而这些宝石从来没有被人发现过。泰山如果不是无意间掉下井去，他也决不会摸到这间宝石库里来。十几年前他来奥泊城时，只发现了金库，却没发现这座价值更高的宝石库。可惜现在的泰山浑如没有开化，已完全没有了价值观念，只是觉得好玩而已。泰山玩够了，就从这间宝石库走出来，外面是一条很长的走廊，盘旋向上，越走越高，一直走到一间天花板很低的屋子，这间屋子里的光线可比宝石库要亮得多了。

屋子的另一边还有一条向上去的石阶，泰山从下向上望了望，望见最高的地方，似乎有缠绕着藤萝的圆柱。泰山愣了一下，依稀记得曾经见过，他皱着眉头，想了好一阵，似乎真的到过这里，又似乎是在梦里见过，怎么也记不真切了。

他正在茫然四顾，突然间，一声炸雷般的狮子吼从他上面的建筑物中传来，接着，就听到许多男男女女的叫喊声和啼哭声。泰山不再犹豫，提着长矛，飞步上了石阶。原来上面就是太阳宫的正殿，正殿里的光线比下边要强得多，泰山刚上来的时候觉得有点刺眼。他定了定神，渐渐能够看清眼前的人了。这群男女都在惊慌地乱叫，拼命往外逃，泰山想知道他们如此惊恐的原因，往屋子中间一看，那儿竟站着一头雄狮！狮子脚下还踩着一个死人。在这间屋子靠里面的一边，有一座石坛，石坛上绑着一个男人，有一个女人俯身跌倒在这男人身上，看样子是吓昏过去了。泰山又向四周打量了一番，只一转眼的工夫，屋子里的人都跑光了，只剩下狮子和石坛上的两个人。那狮子犹自怒冲冲地向坛上咆哮着。看来坛上那女人已吓得没了知觉，那男人虽还醒着，可是被捆绑着，身上又压着一个人，根本动不了。那狮子正向石坛走去,身子和头伏在地面上,尾巴竖起摇动着,不住地嗅,眼看就要向坛上扑去。忽然,它似乎听见什么,一转头看见了泰山,于是它停下来不再向前。

沃泊尔被绑在祭坛上,眼看狮子要扑过来,既无法抵抗,又逃脱不了,只有等死的份儿了。等了一阵,不见动静,睁眼一看,见狮子正转头向别处看,他也顺着狮子的视线望去,但被身上压着的女主教挡住了,什么也看不见。正在这时,一个半裸体的大汉闯进他的视线,只见他手握一支长矛,直向狮子刺去。狮子不及提防,被他刺中了胸部,暴怒起来,用牙和前爪在矛柄上乱抓乱咬,那大汉一时拔不出长矛,就从腰间抽出猎刀,向狮子刺去。狮子这次也有了准备,向后退了一退,然后纵身向那大汉扑去。沃泊尔听见狮子发出咆哮的声音,而那大汉竟也同样咆哮着,听声音简直和野兽一样,一点儿也不像是从人嘴里发出来的。

泰山见狮子来势凶猛,就向旁边一闪,跳到狮子的身边,趁势跃上狮背,一口咬住狮子的后脖颈。狮子又急又怒,咆哮着,跳跃着,打着滚儿,一心想把泰山从背上甩下去,泰山怎么也不放,手里的猎刀往狮子的肋下乱刺。人和狮子在拼命地斗着,在祭坛上被吓昏过去的兰这时渐渐苏醒过来。看见眼前一个人在和狮子争斗,刚醒过来的她又吓呆了。她从来没有看见过有人仅仅凭着一把刀,敢跟兽中之王的狮子拼命,现在居然有这么大胆的人,就在她眼前,和活生生的狮子斗,她怎么能不惊骇呢?

最后,泰山的刀刺进了狮子的心窝,狮子已经遍身是伤,血流了一地,挣扎了一会儿,终于倒在地上不动了。泰山腾身而起,一只脚踏在狮子身上,照例发出了一声人猿胜利时的长啸。兰和

人和狮子拼命地斗着。

沃泊尔两个人从来没听到过人会发出这种声音，只吓得浑身打战，长啸从宫殿中响起，四周的建筑物和山峰都发出阵阵回声，越发令人觉得惨厉。

泰山见狮子死了，回过头想看看祭坛上的两个人，这时沃泊尔才清楚地认出，原来杀死狮子的大汉就是刚才在金库门口已经"死"了，自己从他身上轻轻跨过去的那个人，就是自己跟踪了许久的英国贵族格雷斯托克爵士泰山啊！

八
逃出奥泊城

沃泊尔认出杀死狮子的人是泰山时，他的恐惧程度并不亚于看见狮子。他简直弄不明白了，眼前这个泰山，难道就是在非洲庄园上经常款待客人的礼貌主人吗？看他现在挺着宽阔的胸膛，瞪着凶光四射的眼睛，脸上沾满了血——有他自己的，也有狮子的——难道这还是个人吗？眼前这个人形动物，自己亲眼看见他杀死了兽中之王，亲耳听见他吼出惨厉的长啸，看他的面貌，又明明是泰山，这究竟是怎么回事呢？沃泊尔无论如何也不明白，泰山身上为什么会发生这些令他不解的变化。

泰山凝视着祭坛上的两个人，也觉得有似曾相识之感，只是不管怎么努力回忆，总是似梦似真，模模糊糊，记不真切，只能看着祭坛上的两个人发愣。

兰此时已经站了起来，神志渐渐恢复，她仔细打量着泰山。渐渐地，她那两只美丽的大眼睛越睁越大，露出了又惊又喜的神情，失声地喊道："泰山！"

在奥泊城里，人们都是用猿语说话，现在兰仍在用猿语对泰山说："噢！我明白了，你是为找我来的！我这么多年来盼你等你，等得好苦啊！我为了你，把本国宗教的惯例都破坏了。因为在我心目中，世界上没有第二个人配做我的终身伴侣，除了泰山之外，兰不会嫁给别人。泰山！现在你终于回来了，请你告诉我，泰山！你是不是为了找兰才回来的？"

沃泊尔瞪大了眼听着，却什么也听不懂，只听这个女人说话像鸟叫一样，根本不知道她在说什么。他看看泰山又看看兰，只听泰山也用同样的语言喃喃地回答着她。沃泊尔自然听不懂，原来泰山说的是："泰山！泰山！这名字听起来倒怪耳熟的。"

兰大声喊着说："这是你自己的名字呀！你就是泰山啊！"

泰山耸了耸肩说："我是泰山吗？也成，这是个很不错的名字，我还没有另外的名字，就用这个吧！但我不认识你，也不是为找你而来的。我到底从哪里来，来做什么，现在真的连我自己也不知道，你能告诉我吗？"

兰摇摇头，回答说："既然你自己都不知道，我当然也不知道。"

泰山转身看见了沃泊尔，也用猿语问他：

"你是谁？你知道我是什么人吗？我到这里来做什么？你如果知道，就告诉我吧！"

沃泊尔什么也听不懂，只好摇摇头。他突然想起来，用法语对泰山说："我听不懂你说的话。"

泰山听了，脸上并没有什么表情，但他似乎听懂了。于是泰山很流畅地用法语把刚才问的话又问了一遍。沃泊尔这时候才明白过来，泰山头部受伤过重，发生了记忆障碍，把以前的事完全忘记了。沃泊尔本打算如实地向他说明，但转念一想，告诉他真实情况对自己没有好处，倒不如利用他忘却往事来帮助自己脱险。沃泊尔打定了这个主意之后,就仍用法语对泰山说:"我并不认识你,更不知道你从哪里来,到这里来做什么。但是,有一点我可以告诉你,假如我们不设法离开这个恐怖的地方,我们两个人都有可能死在这个祭坛上。这个女人刚才就要用她的刀刺进我的胸膛,如果不是来了一头狮子,恐怕我早就死了。现在,最好趁他们惊魂未定,那群要喝人血的男男女女还没回来,我们赶快逃出这座可怕的城堡吧!"

泰山用猿语问兰:"怎么,你要杀这个人吗?是不是你觉得饿了?"

女主教听了,惊讶得瞠目结舌,一时不知该怎样回答。泰山明白了这女人不是因为想吃东西才要杀人,又接着问兰:"那么,也许因为他要害你,所以你要杀他,是这样吗?"

兰又摇摇头。

泰山这一下给弄糊涂了,他问:"那么,你到底为什么要杀他呢?"

兰举起她的手,指着太阳说:"我们要用他的灵魂祭祀太阳神。"

泰山一点儿也听不懂,不知她说了些什么莫名其妙的话。现在,他只知道自己是一只大猿,至于什么东西叫灵魂,什么东西叫太阳神,他头脑中根本没有这个概念。他问沃泊尔:"你愿意死吗?"

沃泊尔听了,急得又哭又叫,再三声明自己不愿意死,自己也不应该死。

泰山听了沃泊尔的话说:"那就这样吧!你不必死了。"说着,用猎刀割断了绑着沃泊尔的绳索,说:"我们走吧!现在我都听明白了,这女人准备杀了你,还要留下我做她的什么伴侣。我已经都看见了,这种地方无论如何不适合我们大猿居住,住在这样的石墙里,没有丛林,没有草地,我会憋死的。走,我们走!"

泰山又转身向兰告辞说:"你没有什么理由杀他,也不该把我留在这儿,我们要走了。"

兰听说泰山要走,急得上前一把抓住泰山的手说:"我等了你十多年,你不能走,不要离开我!你就在这里,做我们的大主教吧!在这个世界上,我只爱你一个人,我可以把整个奥泊城献给你,让奴隶来服侍你。人猿泰山,就留在这里吧!只要你肯爱我,整个奥泊城都归你一个人统治,这还不够吗?"说着,她跪倒在泰山脚边。

泰山把她一把推开,说:"泰山不要你。"说着,就走到沃泊尔身边,招呼他一同走。兰从来没受过这样的羞辱,满脸通红、气喘吁吁地跳了起来,大声叫道:"站住!我要你留在这里,你居然敢违抗!你去问问看,在奥泊城里,有谁敢违抗我?兰要办到的事,万无更改,你如果不肯活着留在这里,兰也要叫你变成死尸留在这里!"

兰说完这话,就抬起头,对着太阳高叫了一声,这声音沃泊尔曾听见过一次,泰山却不止听到过一次了,声音凄厉得让人毛骨悚然。接着,就有同样的回声从宫殿四周长廊上的角门后面传出来。

然后,兰高声叫道:"快来保护主教!有异教徒要玷辱圣地了。都快来!快来保护兰,保护祭坛!用这些异教徒的血来洗刷神圣的祭坛!"

泰山当然能听懂她说的话,但沃泊尔却不知道她在说什么。泰山知道有危险要来了,必须抵抗,自己手里除长矛外还有一把猎刀,够用了,回头看看沃泊尔手里却没有武器,于是他腾身而上,冲到祭坛上兰的身边,用他钢铁般的手臂抓住了兰,兰不明白他要干什么,一边大叫,一边拼命挣扎,泰山趁势把她手里的那把圣刀夺了下来,递给泊沃尔说:"拿着!你就用这个。"

这时,殿中的每一扇门都开了,冲进来一大群奇形怪状的太阳教教徒。他们有的拿棍,有的拿刀,都挥舞着,朝泰山和沃泊尔扑来。沃泊尔吓得脸上变了色,泰山却十分镇定,慢慢地向一个门口走去。那里有一个又高又胖的人,拦住了他的去路,后面还有二十多个太阳教教徒,也跃跃欲试。泰山并不说话,举起他的长矛,向那个又高又胖的教徒头上打去,那教徒立时脑浆迸裂,一声没吭,就倒在地上死了。泰山乘胜挥舞着长矛,一路打过去,渐渐冲出重围,到了门口。沃泊尔也挥动着圣刀,紧紧跟在泰山身后,时时防备着后面有人袭来。他只看见那些教徒像疯了一样,不断和泰山交手,距离远一些、够不着泰山的,也冲着泰山乱叫乱跳,仿佛在壮他们同伙的声威。但是这么多教徒,竟没有一个人向他袭击,弄得他有点莫名其妙,不知道这是为什么。一直到他跟着泰山从堆积的尸首中间到了门口,也没有人拦阻他。沃泊尔恍然大悟了:原来他手里拿的是太阳教的圣刀,这把圣刀在太阳教徒面前是神圣不可侵犯的,它可以指挥所有的教徒,他们必须听命。他们为了保护女主教和祭坛,可以牺牲自己的生命,却不敢与手握圣刀的任何人为难。现在沃泊尔无意间得到了这把圣刀,不啻给自己找了个护身符!

两个人冲到宫殿外面,到了安全地带,沃泊尔才把刚才自己所省悟到的告诉了泰山,泰山听了,也不禁大笑起来,于是他索性让沃泊尔在前面开路,果然,这把圣刀在冲锋陷阵上收到了意想不到的奇效。沃泊尔手持圣刀,简直是所向披靡,谁也不敢阻拦。在他们所经过的道路中,有一间房子,房里的七根柱子都是黄金筑成,走廊和墙壁上也都镶着明晃晃的金牌。泰山对这些好像视而不见,无动于衷,沃泊尔的眼睛却瞪得很大,恨不得这些都归自己所有,可惜的是他拿不走。

他们俩东冲西撞,终于走出了这断墙残壁的古老宫殿,找到了出奥泊城的大道。他们走出城来一看,吃了一惊,大道两旁站着一群大猿,这些大猿并不认识泰山,对着泰山和沃泊尔喃喃地辱骂,沃泊尔自然听不懂,泰山也用猿语回骂着。

沃泊尔看见猿群中有一只最雄壮的大猿愤怒地跳出来,直冲泰山而去,他脖子上的毛都直立起来,露出大黄牙,厚厚的嘴唇里发出大怒的咆哮声。沃泊尔正想提醒泰山小心,回头一看,泰山已经作出了反应,只见泰山弯着膝盖,半蹲着,双拳直抵到地面上,也像一个大猿。那只大猿绕着泰山飞跑,泰山也跟着他转,一直面向着他,嘴里也发出同样的咆哮声。沃泊尔此时简直无法辨别,哪是泰山的咆哮声,哪是大猿的咆哮声。

泰山和这只大猿各自示了一阵威,却没有真正打起来。泰山见大猿退回去了,还想追上去,但被沃泊尔拦住了。泰山拾起长矛,也跟着沃泊尔去找路,找了许久,终于被他们找到了那座狭窄的城门,到了城外荒凉寂寞的群山里。

泰山这时候完全回到了人猿时代，对于人类社会的一切已经一点儿也不记得了，这样倒也少了许多牵挂。觉得肚子饿了，便在石块底下，树根旁边，找些昆虫和野鼠，咀嚼得津津有味。沃泊尔看了，又惊讶又恶心，只好连劝带催地要泰山快走。两人翻过了几座小山，出了奥泊城北边的边境，一直向泰山的庄园走去。沃泊尔督促泰山赶快回家，是另有一番打算的，如果泰山不回庄园，阿奇米特绑架了泰山的妻子，又向谁去勒索赎款呢？不过沃泊尔也有另外一层担心，看现在泰山的样子，谁知道他还记不记得妻子，懂不懂得交赎款呢？

这天晚上他俩就在山脚下过夜。沃泊尔生起火来，把泰山在路上猎来的野猪肉烤着吃。泰山却不吃熟肉，只把鲜血淋淋的生肉撕着咬着吃，一边吃，一边他也觉得似乎有些事在脑海中，苦苦地思索着，但总是影影绰绰，记不起来。过了一会儿，泰山解下他腰间的那个袋子，把袋里的宝石倒出一些来，放在手掌里玩着。沃泊尔开始还没有注意，后来觉得泰山手里的东西光辉耀眼，引起了他的注意，仔细一看，不觉大吃一惊，原来都是上等的好宝石啊！真不知泰山是从哪里弄来的，反正可以肯定，不可能是从庄园里带来的，如果庄园里有这么多宝石，这位庄园主就不必冒险来盗取黄金了。从此以后，沃泊尔就紧紧盯着泰山，想找机会把宝石偷到手。

九
窃取宝石

沃泊尔出了奥泊城之后，就一心想寻找他的部下，但这件事足足费了他两天时间，一直到第二天下午，才算找到了一点线索，但沃泊尔却吓了一大跳。原来在一处开阔的林间空地上，发现了他三个黑人部下的尸体，看他们的样子好像死得很惨。在他带来的部下中，只有这三个黑人小头目不算奴隶，也许另外的九个黑人奴隶因为不堪忍受阿拉伯主人阿奇米特的暴虐，把这三个忠实执行主人命令的小狗腿子杀死，以泄蓄积已久的怒气。杀完了人，他们当然会远走高飞的。

泰山也看见了这三个黑人的尸体，但他脸上没有惊讶的表情。因为如今的泰山完全回到了他儿童时代的心理状态，他认为无论人类也罢，丛林中的其他生物也罢，都没有什么区别，在丛林中生存的法则，就是优胜劣汰，所以死亡是常见的事，不足为奇。他成年之后的许多事虽然都不记得了，但童年时代的事印象最深，所以极易回想起来。他记得在大猿群中生活时，优胜劣汰的例子太多太多了。不过，泰山的脑子里除了极深的童年记忆外，他曾下苦工夫学过的各种语言倒也还不自觉地都记得。讲着流畅的英语或法语，他像做梦一样，自己也不觉得奇怪。

那天晚上,泰山和沃泊尔坐在帐篷前的火堆旁,泰山仍旧玩弄着他的宝石。沃泊尔故意装作不认识他玩的是什么,问他那是什么东西,是从哪里弄来的。泰山告诉他,这是一种美丽的石子,他打算把这些石子穿成一条链子,挂在脖子上,想来一定挺好看。同时,他还随口告诉了沃泊尔,这石子就是从太阳神宫殿底下的地窖里弄来的。

这一下,沃泊尔可出乎意料地高兴了,因为他确信泰山不明白宝石的价值,既然如此,如果自己向他要,他多半是肯给的。这时,沃泊尔看见泰山找了一块又平又直的木头,放在面前,然后把手中的宝石一颗颗地摆上去,于是,他试着伸手向泰山说:"你那些小石子,能给我看看吗?"

泰山急忙用两手按住宝石,龇着牙对沃泊尔咆哮起来,沃泊尔吓得急忙缩回手去。泰山看沃泊尔不敢再要了,也就没有再发作,继续聚精会神地摆弄他的小石子,好像刚才根本没发生什么事一样。其实泰山方才凶猛地咆哮,只是丛林中野兽自卫的常态,沃泊尔不明白这一点罢了。平时泰山猎来的肉食,也分一份给沃泊尔吃,但沃泊尔若是不小心无意中碰了泰山的那一份,泰山马上会变脸,怒目相视,咆哮起来,其实,这也是丛林动物自卫的方式。沃泊尔对此却非常害怕,只要泰山一有这种表现,沃泊尔就决不敢再冒犯,他心里有数,自己不是这个疯子的对手。

沃泊尔在这蛮荒里和泰山相处,非常小心翼翼,他不知道泰山过去的经历,也不理解这是他童年时的本来面目。他还以为泰山在地震中受了过大的震动,神经有点失常,使得注重仪表礼节的英国贵族变成了这样危险的疯子。他经常担心,说不定什么时候不小心触犯了这个疯子，自己这条命也会断送在他手里。沃泊尔想来想去，只有把泰山引到阿奇米特的管辖区之内，自己才好脱身。但他不能不忧虑的是，自己手里只有一把圣刀，要通过这浓密的丛林实在太不保险。如果和泰山同行，泰山的神力与勇敢不但足够保护他自己，还能保护沃泊尔，何况日常的猎食也大多要靠泰山。在奥泊城的宫殿里，沃泊尔亲眼看见泰山用长矛和猎刀杀死了一头狮子，有这么一个人同行，当然可以放心许多了。

另外还有一件事，使得沃泊尔绝对舍不得离开泰山，那就是泰山身上满满一袋宝石，这一袋东西，简直像磁石一样吸住了沃泊尔，他总想找机会劫取过来。如果宝石到手，他倒绝不会拿到阿奇米特那儿去讨赏，而是要暗暗留在自己身边，即使回到阿奇米特的营地，也决不声张，然后，碰到个合适的机会，向阿奇米特讨个差使，逃到海口，找一条船直往美洲。到了那里，凭自己的交际手腕，再加上这袋宝石，找个地方，改名换姓，足够快乐逍遥一辈子了。沃泊尔原本就是一个迷恋酒色的人，现在，怀抱着对未来如此美好的希望，他甚至已经开始认为，就算是美国新大陆，与他熟悉的比利时首都布鲁塞尔上流社会相比，也带有几分乡下的土气。但不管怎么说，总比现在待的这个蛮荒地区要好得多了。

他们上路之后的第三天，泰山忽然听到背后有脚步声，是从奥泊城那条路上来的。这时沃泊尔还只能听到丛林中猴子和小鸟的声音。他看见泰山忽然站住了，而且不住地嗅着听着，他觉得非常奇怪。泰山却立刻把沃泊尔推进树丛里，让他藏起来，告诉他不要出来。沃泊尔被弄得莫名其妙，也只好听泰山摆布。过了不多一会儿,从远远的大道上走来了一群黑武士,其中有一个领队的,小心翼翼地在前面走,后面跟着有五十来个人,每个人身上都背着两大块黄灿灿的东西。沃泊尔早已看清楚了,这一群人就是泰山原先带来的一队黑武士,泰山是带着他们去奥泊城盗金子的,领头的比苏里就是瓦齐里族人。沃泊尔因为在庄园上住过一段时间,所以认识他们。这时,沃泊尔就留神看泰山有什么反应,只见泰山虽然目不转睛地看着他们,却面无表情,看样子也不打算从藏身的地方出来,似乎他并不认识他旧日的部下了。

等这一队黑武士都过去,并且走远了之后,泰山才站起来,走出树丛。他对着这一队黑武士的背影看了看,转身把沃泊尔叫出来,说:"走!我们赶上去,把他们杀了。"

沃泊尔十分惊奇地问:"为什么呢?"

泰山说:"他们全是黑人,杀死卡拉的就是黑人,所有的黑人都是大猿的仇敌。"

沃泊尔不愿意和比苏里带领的黑人交手,一来他在庄园里住过一段时间,认识他们;二来他们正在把金砖背回庄园去,这笔财富里,早晚有自己的一份,他们代为背回去,岂不是省了自己的力气?再说,去泰山庄园的路沃泊尔并不熟悉,能有这样一队向导带路,不正是很好的事吗?看泰山现在这种疯疯癫癫的样子,恐怕也不一定想回庄园了,如果跟着比苏里的队伍走,就不愁找不到路了。只要到了泰山的庄园,沃泊尔就能找到去阿奇米特营地的路。因为这些原因,沃泊尔绝对不愿意和比苏里带的黑武士们打起来,他肚子里这些鬼算盘泰山当然不会知道。

于是沃泊尔对泰山连哄带骗，让他无论如何不要去打黑人。他装出一副诚恳的样子对泰山说，前面黑人们走的这条道沿路有许多野兽，如果暗暗地跟着他们走，可以猎取很多食物。现在的泰山已经不是平时极精明的泰山了，沃泊尔没费多大力气，泰山就听信了他的花言巧语。

从奥泊城到泰山的庄园山高路远，泰山和沃泊尔跟在黑人的队伍后面，走了有十多天。这一天，从高原上向下望去，已经能看到一片熟悉的平原了，还有缎带一样的河流，屏风一样的丛林。在一里多路以外，前面那队黑武士像长蛇一样，逶迤正在向平原上丰茂的草丛中走去。在那一带水草肥美的地方，有许多斑马和羚羊在那里吃草，河边的芦苇丛中有一头大水牛，听见有人的脚步声，钻出芦苇丛，抬起头来探望着，见黑人们走过去了，没有袭击它的意思，又放心地退回芦苇丛中去了。

一直走到能看得见泰山庄园的地方，沃泊尔留心着泰山的表情，想看看他有什么反应。只见他还是一副冷冷淡淡、与己无关的样子，反而不如看到野兽时的那副贪吃神情。沃泊尔看他的目光并没有注意自己的庄园，觉得放心了一些，如果他看到庄园有被劫掠的痕迹，真的翻起脸来，自己怕是要遭殃。他们又继续朝前走，走到了庄园附近的高原上，从这里向下一望，泰山倒没有什么，沃泊尔却着实吃了一惊：哪里还有什么庄园啊！连他都没有想到，阿奇米特会把整个庄园烧了！沃泊尔手搭凉棚仔细一看，花园、前廊、居室、马厩，什么都没有了，只剩下一片焦土。沃泊尔皱着眉头，心里暗想，阿奇米特这人真是心狠手辣，不但劫持了琴恩，居然还烧了庄园！

比苏里和他率领的武士比泰山他们先到,开始时他们只顾往前走,并没有留心,走近一看,才吃惊地发现庄园已被焚了。他们走进瓦砾堆中,东看看,西看看,一座好好的别墅,已经被烧成一片焦土了。在烧过的地上,有些被烧焦了的枯骨,花园中还有许多横躺竖卧的尸体。有的尸体已经被野兽啃得血肉模糊了。但是从这些死者的衣服,能辨认出他们都是自己的同伴。看到眼前这片惨象,他们明白主人的庄园不知被什么敌人袭击了。比苏里心里万分难过,他咬牙切齿地说:"这一定是阿拉伯人干的!"

所有的武士看了眼前的景象,听了比苏里的话,都又气又恨,他们心里都明白,宛那一向阻止阿拉伯人打家劫舍,当然会得罪不少人,平时这些阿拉伯人奈何不得宛那,现在趁他不在的时候,来烧庄园报复了!这些黑武士中间,忽然有一个人想起了琴恩,大声喊道:"哎哟,不好!赶快找找夫人在哪里!"

大家经他这一喊,都感到情况不妙,比苏里说:"这里已经没有人了,夫人一定被他们掳去了,连咱们的家属也一起被他们掳去了!"

有一个高大的武士听了这话,气得暴跳如雷,把他的长矛举过头顶,愤怒地大叫起来,这是决心要报仇的表示,另外的人也都附和起来。比苏里到底是个领队人,他首先冷静下来,命令大家先安静,一字一句地对大家说:"现在不是我们乱嚷的时候,胡闹一阵什么问题也不解决,大家还记得不?大宛那常告诉我们,对待突然而来的事,只有沉着应付,才会有办法、有实效。现在我们先休息一下,等精力恢复了,再去追赶阿拉伯人,报仇雪恨。如果夫人和我们的家属都还在人间,一定会盼望我们去援救她们,我们得赶快精力充沛地前去。不过,咱们不能空着肚子去作战,等我们先吃点东西、休息一下再动身。"大家觉得他说得有理,都表示赞成。

沃泊尔领着泰山藏身在河边的芦苇丛中,看黑人们回到庄园后有什么举动。沃泊尔看见比苏里领着大家用长矛和临时找到的工具,在庄园的空地上挖了一个大坑,接着,他们把背回来的黄金尽数埋在坑里,上面仍旧用土盖好,不显露任何痕迹。沃泊尔留心看着这一切,估计他们埋好黄金之后还会出发。他打算等他们走了之后,就去把黄金挖出来,可是一想,自己只有一个人,别说挖起来太费劲,就算挖出来了,又怎么拿走呢?他搓着手,走来走去地犯愁。

黑武士们埋好了黄金之后,走到离开庄园废墟较远的地方,支起帐篷,以便夜间休息,准备第二天清晨就去追赶阿拉伯人。天色渐渐黑下来了,沃泊尔和泰山坐在地上,把带来的食物饱餐一顿。沃泊尔一边吃着,脑子里一边在打主意,他在想下一步该怎么办。他知道瓦齐里族人看到庄园被烧,东西被抢劫一空,决不肯善罢甘休,一定会去追击阿奇米特的。沃泊尔平日深知瓦齐里部落的人剽悍勇猛,现在阿拉伯人掳了他们的女眷和牲畜,他们无疑是会去报仇的。

沃泊尔很想日夜兼程地往回赶,一方面可以向阿奇米特报信,一方面也可以叫阿奇米特多派些人手来挖黄金。至于阿奇米特劫走了琴恩,以后打算怎么办,沃泊尔倒不想多考虑,因为他知道阿奇米特这个人不但心狠手辣,而且嗜财如命,自己得来的好处,是决不肯分给别人的。现在泰山已经成了疯子,恐怕勒索赎金这件事是没有指望了，对泰山，自己可以任凭他随处漂泊。在这批黄金上，沃泊尔颇动了些脑筋，总想用什么办法可以多拿点，可是自己毕竟只有一个人两只手，挖和搬运都需要人力，他想来想去，想不出更好的方法，最后叹了一口气，只好凭阿奇米特分给自己多少是多少了，就算只分得一两块，也就很可观了。忽然他脑筋一转，泰山身上不是有一袋宝石吗？这可是一笔又昂贵又轻便好拿的财富，万万不能放过！坐失这样的好机会，那才是傻子呢！他想到这里，目光马上转到泰山身上去了，仔细打量着，琢磨着。他想，泰山的身强力壮，如果从他身上硬抢，非但不会成功，还有送命的危险，只有等待机会，见机行事。这一袋宝石可比金子又贵重得多了。

这时已经天黑，沃泊尔心潮起伏地想了一阵，就在离泰山不远的地方躺了下去。一只手枕在头下，另一只手遮着脸，却从手指缝里偷偷地看着泰山，不让泰山看出自己行动上有什么破绽。

泰山坐在那里也时不时地看看沃泊尔，沃泊尔见泰山注意他，就一动不动，假装已经睡着，还故意发出均匀的鼾声。

泰山心里也在想身上这一袋石子的事。他想，总带在自己身上，打猎时免不了攀爬跳跃，很容易丢掉，方才看见一群黑人在挖坑埋东西时，他曾问沃泊尔他们这是干什么，沃泊尔告诉他，他们在埋藏好东西，为了怕别人偷去。泰山此时想这倒是个好办法，自己何不也把小石子埋起来呢？泰山记得沃泊尔曾经向他要过一次，说不定他也喜欢上了这东西，泰山虽然不知道这是宝石，价值十分昂贵，可他知道这是自己心爱的东西，应该好好保存，不能让别人拿去。看看沃泊尔已经睡了，他就开始进行他的埋宝工作。他坐在那里，看了沃泊尔一阵，听他确实在打鼾，便抽出猎刀来，在自己面前的地上用刀子挖，用手刨土，不大的工夫就挖出了一个五六寸深的坑，他把装宝石的袋子从身上解下来，放进坑里。沃泊尔把这整件事从头到尾看得清清楚楚，快活得差点叫出声来，当泰山把宝石埋下去的时候，他连鼾都忘了打。

　　泰山忽然发现沃泊尔没有鼾声了，立时不放心起来，变了脸色，两眼直直地向沃泊尔望去。沃泊尔也发现自己大意了，为了不惹起泰山的疑心，他故意长出一口气，伸伸胳膊，翻了个身，装作仿佛熟睡中做梦、又仰天睡去的样子。紧接着，他又鼾声大作了，就这样，泰山竟被他瞒了过去。这以后，沃泊尔再不敢偷看泰山，好在他想看的都已经看清楚了。他虽然闭着眼睛，仍能觉察到泰山对他盯视了许久，接着他听到泰山把土拍实的声音，他知道泰山已经把宝石埋好了。

　　大约过了一个小时，沃泊尔翻了一个身，睁开眼来再看看泰山，见泰山也确实睡着了。泰山埋宝石的地方离沃泊尔不远，但沃泊尔不敢轻举妄动，又静静地等了许久。他故意弄出这样那样的声音来，但泰山还是睡得沉沉的，并没醒。这下他胆大了，拔出那把圣刀，向泰山身边的地上一插，见泰山仍旧没有动。沃泊尔真的放心了，拔出圣刀，用它挖松泥土，挖到一定的深度，把手伸下去，便摸到袋口了。他又继续挖了一会儿，把土都挖松，终于将那袋宝石从坑里提了出来。他把宝石藏在自己衣服的最里面，然后小心翼翼地仍旧把泥土盖好，和以前完全一样，看不出半点痕迹。

　　沃泊尔虽然安全地把宝石弄到手了，但毕竟心虚，怕泰山万

沃泊尔摸着圣刀回转身来:"为什么不杀了他呢?"

一发现他的宝贝东西没了,一定会怀疑到自己,那自己可就有性命之忧了。想到这里,他仿佛觉得泰山那副有力的牙齿就要咬到自己的喉咙上来了,不禁浑身战栗起来。他很想索性一刀刺死泰山,就可以没有危险了,哪知刚要动手,远远传来了一声豹子的吼声,似乎就在他身后的草丛里。沃泊尔最害怕的就是夜间出来猎食的野兽,但对于躺在他身边的泰山,他却觉得比野兽更可怕。沃泊尔惊慌地站起来一看,泰山仍旧睡得很香,沃泊尔想不如趁此逃出平原,窜进树丛,永远甩脱泰山这个祸害。他才往西北走了几步,转念一想,还是杀了泰山来得干净。于是他摸着腰间的那把圣刀,回转身来,嘴里自言自语地说:"为什么不杀了他呢?杀了他,岂不是永绝后患了吗?"

他握着圣刀,向泰山身边走去,双手握住刀柄,对准泰山胸口直刺下去!

十
阿奇米特看见了宝石

莫干壁怀着极痛苦的心情，顺着敌人留下的马蹄印，独自一人向前追去。他经过和阿奇米特一伙人的激战，已是遍体鳞伤，所以无法走得很快，只能走一段歇一歇，但是他怀着对主人的忠心和对敌人的仇恨勉强支持着，不让自己倒下去。幸而赖天保佑，他身体素质极好，走了几天，身上的伤竟渐渐好了，体力也渐渐恢复起来。但是阿奇米特领着的那一伙阿拉伯人都骑马，莫干壁却是步行，所以他无论怎样快跑，总还是远远地落在敌人后面。

阿奇米特那一伙人回到营地，就不再外出，静等着沃泊尔回去。这一路上，琴恩受了不少苦，但她想起莫干壁和那些为了保护她、为了保护庄园而战死的武士，心里便充满了悲痛，反而有几分忘了自己的痛苦。阿奇米特到了营地之后，始终只字不提将要怎样处置琴恩，所以琴恩也无法知道自己未来的命运。只是她深知这些人素来是无法无天的，如果他们只想勒索一些赎金，那倒容易对付，不过损失一些钱财罢了，果真如此还算万幸，就怕他们在自己身上打什么坏主意。她过去听说过，阿奇米特这伙阿拉伯人把抢来的妇女都卖给土著黑人，有做小老婆的，也有做女仆的，还有的卖到最北面的土耳其去，即使白种妇女也不能幸免。

琴恩是有教养、有文化的女子，又多年生活在泰山身边，向来性格镇静，不会慌乱惶恐的。但是她心里却是打定了一个主意，就是：到了万不得已的时候，宁可自杀，也决不能受辱。不过，她也在想法宽慰着自己，她想，只要泰山活在人世，她总有获救的希望。令她自豪的是，世界上没有什么能抵挡住泰山，无论是人还是野兽。何况，非洲是泰山常住的地方，他熟悉这里，这里有不少动物，都肯受泰山的指挥。只要泰山从奥泊城回来，看到庄园上的惨象，一定会循着敌人的脚印追踪而来，报仇血恨并救琴恩回去。她毫不怀疑自己的这个想法。

琴恩正在盼望泰山到来，在黑暗的丛林中，却有另外一个人来了。这个人就是害怕野兽、惊慌失措的沃泊尔。他这次孤身回来，多次从狮子和豹子的爪牙下逃脱性命，他的武器只有一把圣刀，在丛林中行走，他经常处在恐怖之中。晚上爬上树去，也不大敢睡，白天挣扎着逃命，遇到狮子或豹子，他也只能爬上树去躲避，整天像只惊弓之鸟，现在，总算快到阿奇米特的村寨了。

几乎与此同时，在阿奇米特村寨的另一边，莫干壁也从丛林中赶到了。他站在一株大树的树荫下，端详着村子的栅栏，瞥见一个衣衫褴褛、头发蓬乱的人，也正在向这个村子走来，他注意看他的行动，感到有点眼熟，仔细一辨认，立刻认出这个人就是主人去奥泊城之前在庄园内款待过的宾客。莫干壁正想招呼他，忽然又止住了，因为他看见沃泊尔出了丛林之后，好像很熟悉，照直向阿拉伯人的村子走去。这可是一个非常可疑的疑点！因为在非洲这块地方,如果不是熟人,阿拉伯人的村庄是绝对不许随便进入的。莫干壁小心地躲在一边,留心观察着沃泊尔的行动。

只见沃泊尔大大方方地走到村栅外,只招呼了一声,村门就开了,还有许多阿拉伯人出来迎接他。莫干壁看到这个情况,心里一下子明白了,原来这个白人到主人的庄园里来,是给阿拉伯人当探子的!这次主人的庄园遭受浩劫,原来就是这个家伙引来的。这时,莫干壁把仇恨阿拉伯人的心都转移到沃泊尔身上来了,恨不得马上杀了他。

沃泊尔进了村子之后,马上去见阿奇米特,把前前后后的经过都报告给了阿奇米特,只把自己得到一袋宝石的事隐瞒不讲。他把宝石贴身藏好,不让人看出来。阿奇米特听沃泊尔说有许多金砖被瓦齐里人埋在泰山烧焦了的庄园里,简直大喜过望,拍着沃泊尔的肩膀说:"这件事可是老弟的一大功劳!要想得到这批金砖非常容易,只要派人去挖来就行了。我们到庄园上去抢劫那女人时,有过一场血战,我们已经把留在庄上的瓦齐里人一个不留地都杀光了。只是从奥泊城回来的这一批瓦齐里人还是会来报仇的,如果碰到他们,我们必须把这批人也干掉,再去挖金子,就万无一失了,如果碰不到,就算他们命大。金砖的事,除了你和他们之外,没有别人知道。他们埋金砖时,没有看见你吧?"

沃泊尔笑笑说:"我当然不会让他们看见。"接着他又问,"那女人劫来了吗?你打算怎么处置她?"

阿奇米特回答说:"我打算把她卖到北方去,我想,泰山疯了,现在只有这一个办法了,她一定能够卖得一笔大价钱的。"

沃泊尔点了点头,表示同意阿奇米特的想法。同时,他心里又在转着他自己的主意,他想怂恿阿奇米特允许由他带人押琴恩到北方去,这样自己就可以找机会逃走了。他估计,现在提这个要求最合适,因为阿奇米特意外地得了一批金砖,正在高兴,趁他心情好的时候,提这个要求,八成他会答应的。沃泊尔心里还有一件担心事,他知道一经参加了阿拉伯人的团伙,要想脱身是十分困难的。过去他曾经见过许多想要逃走的人,被他们捉回来,没有一个能活命的。而且处的死刑都非常残酷,他们临死时的惨状,现在回想起来还令他不寒而栗。沃泊尔急于借此机会脱身,表面上却装作有意无意的样子,随口问道:"那么,你打算派谁带这女人到北方去?别忘了,咱们还得留点有力气的人手,把金砖挖出来,搬回来呢!"

阿奇米特思索了好一会儿,他也在盘算:这笔金砖的价值,可比卖一个白种女人要高得多。挖取黄金的事要快点进行,免得夜长梦多。可是那个女人也不宜久留在村中,免得她找机会逃跑了,让自己白丢一大笔钱。他想遍了他所有的部下,认为只有沃泊尔可受此重托。他也想到了沃泊尔会不会逃走,他认为这种可能性不大,因为沃泊尔是欧洲人,这里的许多阿拉伯人部落都反对欧洲人,如果他携款潜逃,他很难通过这么多的阿拉伯人部落。同时,阿奇米特也可以挑选几个亲信部下和沃泊尔一同去,他会密令这些人一路上监视他,沃泊尔要逃走也是困难重重,几乎是插翅难逃。于是他说:"挖黄金的事,用不着咱们两个都去。我看,你辛苦一趟好不好?就由你带那女人到北方去吧!那里我有一个朋友,是专门做这号买卖的,我可以写一封介绍信给你。卖掉了之后,你带着款子立刻回来,我办完了挖黄金的事后也立刻回来，专候你的好消息。"

沃泊尔听了正中下怀，心里别提多高兴了，为了不让阿奇米特看出他的心思，表面上却故意不露声色。他俩又商量了一阵其他七零八碎的事情，沃泊尔说想去洗个澡，就告辞出来，回自己的帐篷了。

沃泊尔洗了头发洗了澡，拿出一面镜子来，挂在帐篷里面的一根绳子上，又搬过来一张桌子和一把椅子，坐在那里，对着镜子，舒舒服服地刮起脸来。他这么多天来一直困在丛林里，弄得蓬头垢面。洗过澡、刮完脸之后，觉得轻松多了。于是他向后靠在椅子上，抽着烟卷，准备抽完了烟，就去睡觉。人的身心一放松，闲着没事，就总会身不由己地想干点什么，沃泊尔也是如此，他无意间把手伸向腰间去，自然摸到了那袋宝石，心里不觉万分高兴起来。他想这一袋宝石价值连城，万不可让阿奇米特知道，他若看见了这么多光彩夺目的宝石，真不知会作何感想，多半会羡慕得不得了。沃泊尔自己也说不准这袋宝石到底值多少钱，因为他自己也还没来得及仔细看过，更没有仔细数过一共有多少颗。在这夜深人静的时候，他被喜出望外的心情所陶醉，不由放松了警惕。

他想，全村的人，除了值班守夜的之外都入睡了，估计这么晚不会再有人到自己帐篷里来了，好奇心驱使着他很想把宝石倒出来仔细数一数，尽情地欣赏一番。他把袋子解下来，握在手中，打开袋口，满意地向里面望了望，轮流用两只手掂了掂分量，然后往桌上一倒，独自呆坐在椅子上，眯起眼睛，梦想着将来的荣华富贵。在他的幻觉之中，这简陋的帐篷仿佛都变成辉煌的宫殿了。

他正在迷迷糊糊忘其所以的时候，无意之间，目光转到挂在帐篷里的镜子上，起初因为他在想心思，所以并没看见什么，这时他突然发现，镜子里似乎出现了另外一个人的脸，这一下，他吓得几乎跳了起来。定了定神，仔细一看，竟是阿奇米特站在帐篷门口，镜子里映出的正是他狰狞的笑脸！

沃泊尔知道坏事了，宝石被阿奇米特看见了，他只好装作没事一样，把宝石装入袋里，塞进内衣中。他装作根本没看见阿奇米特的样子，仍旧坐在椅子上抽烟，然后站起来打了一个哈欠，伸一伸懒腰，缓慢地转过身来，面对着帐篷门口。这时他才发现，阿奇米特已经不见了。沃泊尔和阿奇米特处了这么长的一段时间，深知他的为人，既然他已经看见了自己的隐秘，如果不交出来，不但宝石自己得不到手，恐怕连命也要搭进去！他十分慌乱地收拾了一下，准备去睡，上床之前吹灭了灯，心里在忐忑着下一步该怎么办，他就在这种纷乱紧张的心绪中上了床。

沃泊尔睡下来之后，过了一两个小时，帐篷门一动，黑暗中闪进一个人影来，他毫无声息地走进帐篷中，手里拿着一把雪亮的钢刀，他一直走到沃泊尔床前。其实，这时床上已经没有人了，只是用几条绒毯卷成圆筒，像一个人躺在床上的样子，上面仍旧盖着一条绒毯。进来的那人用手轻轻地摸了一下，摸到床上有人，他以为这是沃泊尔，便轻轻举起刀来，狠狠地接连砍了几下，但每一刀砍下去，都出他意外，床上的人没有声音，也不见挣扎。这使他觉得非常奇怪，于是用手掀开绒毯，想不管沃泊尔死了没有，一定要从他身上摸到那袋宝石，把它解下来，拿到手。

哪知他摸到在绒毯下面的，仍是绒毯，这一下他才知道自己被愚弄了，不但大失所望，而且暴怒起来。原来这个刺客正是阿奇米特。等他明白沃泊尔早已逃得没有了踪影时，他觉得自己从来还没有这样失算过，气得暴跳如雷，大声乱嚷着跑出帐篷去，喊醒了全村的阿拉伯人，命令他们搜查每一个帐篷，必须找到沃泊尔。没想到把所有帐篷和村子的各个角落都搜查遍了，也没找到沃泊尔的踪影。于是阿奇米特指挥大家一齐上马，向黑暗的丛林中奔去，他吩咐部下，务必把沃泊尔活捉回来。他不但想要那袋宝石，他还要亲手杀了沃泊尔，才能出这口被愚弄的恶气。

阿拉伯人骑马出村，奴隶们在村门口观望，莫干壁就趁这一阵混乱，混在当地黑人们中间进了村子。这时是夜里，四周昏黑，土著人完全没有发觉有生人进了村子，因为莫干壁的装束也和他们差不多，所以很不容易被发现。莫干壁就这样大摇大摆地在村中大路上走着，居然没有一个人来对他进行盘诘，等这些土著人回到各自茅舍的时候，莫干壁早已躲藏在帐篷后的黑影中了。

莫干壁悄悄地在村中各处找了近一小时光景，始终没能找到琴恩被他们关在哪里。正在他觉得无法可想、有些焦急的时候，忽然瞥见一间茅舍前面坐着一个黑人，好像是在把守着屋门，而其他许多间茅舍却没有这种情况。莫干壁觉得，这次大概是找对了，他于是小心地躲在附近的黑影中，等待机会。过了一会儿，另外一个黑人走过来了，看样子，好像是来接班的，莫干壁听到新来的那个人说："俘虏在里面吗？"

原来值班的那个黑人回答说："是的。从我在这里值班开始，还没有人进去过。"

新来的值班黑人听了这话,就放心地蹲在门前,执行起任务来了,那个下班的黑人也回自己的茅舍去了。莫干壁从附近的地上摸到了一根粗木棒,拿在手里,蹑手蹑脚地朝值班黑人的背后走去,那个黑人一点也没察觉背后有人走过来了,莫干壁溜到他背后,举起木棒,狠狠地朝他头上打下去,那人一声都没响就倒在地上了。

莫干壁见那黑人已死,他急于救琴恩,就立刻冲进屋去,轻声叫道:"夫人!夫人!"可是没听见琴恩的回答。他于是在屋里到处摸索寻觅,始终没找到琴恩。后来,他把整个屋子都摸遍了,发现这间茅舍竟是空的!他暗想,难道这是敌人耍的花样吗?他们把夫人藏在另外的地方了?他们不会伤害她吧?

十一
又回到野蛮状态

那天晚上,泰山睡熟了,沃泊尔站在他身边,手里握着圣刀,想要刺死泰山,但才刺到半路,他忽然又停住了。他为什么不往下刺呢?因为他陡然想到,像泰山这么健壮的人,万一一刀刺不死,他跳起来捉住自己,自己准会死在他手里,这一来,他不敢下手了,只好另想办法。正在这时候,他听到身后的草丛里有野兽爬动的声音,而且似乎越来越近了。沃泊尔心里又在转念头,他想,前面有宽广的去路,自己满可以顺顺利利地去逃命,况且宝石已经到手了,不如三十六计走为上计,不能再在这里停留下去,否则,不是被泰山杀死,就是被野兽吃掉。他思忖已定,便转身向夜色沉沉的丛林中逃去了。

泰山酣沉地睡着,沃泊尔的这一连串行动——挖宝石、埋土、举刀要杀他,他竟毫无察觉,他怎么会变得如此迟钝了呢?原来泰山头部由于地震受伤过重,感觉受了影响。后来,草丛中那头动物已经走到近处了,它闻到了人的气味,终于,草叶被压低,伸出一个狮子的头来。狮子把泰山打量了一阵,伏下身去,把后爪缩在肚子底下,不停地摇摆着它的尾巴。泰山恰好已经睡足了,狮子尾巴拂动草丛的声音惊醒了他,只要一醒他的敏锐感觉立刻就恢复了。原来，不仅泰山是这样，丛林中一切动物都是这样。

泰山睁开眼来，马上看见了狮子，他迅速站起身，拿起长矛准备和狮子厮杀。原来，狮子的个性也不是每一头都相同，这是一头半大不小的狮子，还没到成年，这次又只有它单独行动，所以有点胆怯，开始时就不敢向泰山扑去，现在看泰山站了起来，手里又拿着东西，预感到对自己不利，便一声不响地掉转身去，向草丛浓密处跑去了。

泰山看狮子跑了，并没有去追它，这时他忽然发现沃泊尔不见了，便马上四处去寻找他，但是都找遍了，也没有找见。泰山直觉地认为，沃泊尔可能遇难了，可能被野兽吃掉了。但是他把附近一带仔细看了看，没有看到有野兽吃人的痕迹。后来，他又仔细观察了一番，才发现沃泊尔向平原走去的脚印。泰山想了想，以为沃泊尔比自己先醒来，因为害怕狮子，所以被吓跑了。他想沃泊尔也太怯懦了，连叫都不叫一声，置朋友的安危于不顾，自顾自地逃走了，真不讲义气！幸亏自己是人猿泰山，若换了别人，恐怕早被狮子吃了。泰山平时就最讨厌自私的、不顾种群的动物，他想沃泊尔既然这样不够朋友，自己索性就不去找他了。本来这一路上只有泰山帮他的，他帮不了泰山什么，他走了，泰山倒少了一个累赘。

泰山向四周看了看，百米之外有一棵大树，他马上走过去，跳到树上，选一个最高处的枝丫，把身子躺舒服了，重又睡去，一直睡到红日东升才醒。他自从失去记忆，又回到人猿的心理状态之后，倒觉得一心了无挂碍，累了就睡，肚子饿了就去打猎捕食。

第二天早晨,他醒来之后舒展了一下筋骨,站了起来,透过浓密的枝叶向树下望去。其实,树下那一片焦土和田地就是他自己的庄园,今天在他的眼睛里竟变成完全不认识的地方了。这时候,比苏里和他的武士们正在那里预备早餐,头天晚上他们已经商量好了,准备吃过早餐之后,马上出发,找焚毁庄园、掳走夫人的阿拉伯人复仇。泰山看着这些黑人,觉得似乎有点眼熟,可是怎么也记不起来在哪里见过他们。泰山从奥泊城的黑屋子里出来之后,过去的事一概忘却,什么文明社会、家庭、朋友,在他脑子里都成了一片空白,剩下来的只是儿童时代的片断。就连抚育过他的母猿卡拉的面貌,也是隐隐约约,记不分明了。另外,还有脱克、托勃赖、喀却克,其中托勃赖是卡拉的公猿,又是最讨厌泰山的一个对手,他也记不起来了。就连幼小时经常跟他一块玩的尼塔,一个个子不大也不太凶猛的小公猿,都从他记忆中消失了。

泰山渐渐觉得,沃泊尔走了之后,他一个人在丛林里太寂寞了,很想去找那些大猿,但是丛林很大,又不知猿群游荡到哪里去了,从何找起呢?他脑子里想着这些,眼睛仍旧向树下望着。

比苏里和黑武士们吃过早餐,踩灭余火,带上武器走了。泰山看着他们的脸,总觉得怪熟悉的,可就是想不起来他们到底是谁,于是拣树上枝叶隐蔽处,远远地跟着他们。

走了一段路之后,他想,漫无目的地跟着这些黑人干什么?于是又停下来。从树上望下去,只见在几米之外有两头斑马,一头是雄马,一头是雌马。泰山想,斑马的肉虽不如野猪肉好吃,但也不难吃,于是把手中的长矛飞掷过去。跟着,他也跳下树来,同时把猎刀握在手里。那两头正在吃草的斑马看到不知从哪里突然冲出一个人来,吃了一惊,一齐都呆住了。那雌马的腰上被长矛刺中,惊叫了一声,负痛狂奔起来,雄马也跟着它一起跑了。可是泰山已经追到了,雌马才跑出一小段路,泰山就扑到它的背上了,它掉转头来,想咬泰山,后蹄不断地乱踢着。那头雄马见它的同伴被人袭击,脚步停了一下,似乎想来营救,但看斑马群都逃跑了,也只悲鸣了一声,把颈上的马鬃一抖,跟着斑马群跑了。

泰山一只手抓住马鬃,另一只手紧握猎刀,接连不断刺着斑马的胸膛,那斑马奋力抵抗,泰山好几刀刺了个空。最后,泰山还是占了上风,终于把斑马刺死了。于是他一只脚踏在斑马背上,发出胜利的长啸。他的啸声在丛林里传得很远,比苏里和黑武士们都听到了,觉得很熟悉。比苏里非常惊奇地说:"这是大猿的声音,在瓦齐里的部落中好久没有听到了,不知他们什么时候又回来了?"

泰山杀死斑马之后,把它拖进树林,坐在它背上,用刀割着马肉,带着淋漓的鲜血,热气腾腾地送进嘴里大嚼起来,觉得鲜美无比。

泰山正在狼吞虎咽的时候,树林中有两只鬣狗听见了斑马的嘶鸣声,走来窥探。这是一种非常讨厌的动物,自己的体力不强,又不勇猛,猎食的本事不大,所以只能等其他动物吃完之后,拣些碎肉残渣来吃,它们经常是以吃腐肉为生的。这两只鬣狗走到离泰山几米之外,就站住了,贪婪地看着泰山吃,不肯离去。泰山一看,很是生气,就对它们咆哮,那两只鬣狗也回叫两声,向后退了退,不敢扑上来,但就是赖在那里不肯走。泰山吃饱了之后,又割下几块肉带在身边,准备到河边去喝水,剩下的斑马肉就丢掉不要了。泰山到河边去必须从鬣狗身边经过,他就像没看见它们一样,大步流星地走过去了,充分表现了兽王泰山的气概。

鬣狗见泰山走近它们,以为要攻击它们,便咆哮起来,后来见泰山根本不怕,只好往旁边躲闪,等泰山走过了,看看没有危险了,这两只没出息的东西才放胆去吃泰山剩下的斑马肉。

在河边的芦苇丛里,有一群水牛在隐伏着,听到泰山走近的声音都站起来,作好抵抗或逃走的准备。只有一只大公牛,仗着自己体力强,似乎有点不服气,用前蹄刨着地,怒吼着,睁着两只发红的眼睛瞪着泰山,似乎想斗一斗。泰山根本不理它,还一直往前走。公牛见泰山不是来挑衅的,鸣声就渐渐低了下去,这时恰巧有牛蝇在叮它的肚子,它不再理会泰山,回过头去赶牛蝇了。等它再转头看时,泰山已经走远了,于是它依旧低下头去吃草。整个牛群见这只大公牛不再作声,知道危险已过,有的照旧吃草,有的卧下去休息,有的用温和的目光目送着泰山。

泰山到河边喝够了水,又痛痛快快地洗了个澡,在中午阳光最热辣的时候,他就躺在自己庄园旧址的谷舍旁的树荫下,望着远处平原尽头的丛林,觉得悠然自得。他心里已经没有了任何人事的挂牵,一心想过海阔天空的自由生活,准备第二天就回到丛林里去。他在树荫下又睡了几个小时,醒来觉得肚子又饿了,身边虽还剩几块斑马肉,他却想,不如去找找,如果有野猪,可比斑马肉好吃多了,于是就回到河边,去找野兽的足迹。他在河边徘徊了一阵,瞥见有一群狮子在离河边不远的草丛中嬉戏。他数了一下,共有七只:一只公狮,两只母狮,四只幼狮,不过那幼狮已

那犀牛发疯一样直向泰山冲来。

经不小了，身材已经和母狮差不多了。泰山停住脚，对它们咆哮起来。狮子们听见了，那只公狮也怒吼着发威。泰山手里虽握着长矛，但他不愿和狮子斗，一来他一个人难斗过七只狮子，二来他也不想吃这吃人肉的野兽，他只想把它们赶走，不要妨碍自己猎野猪，所以他就站在原地咆哮，没有往前进攻。狮子也因为吃饱了，只在这儿待一会儿就回窝去，所以也都不扑向泰山。可是双方又都不想示弱，都在虚张声势地吓唬对手，彼此都声嘶力竭地咆哮着，闹了好一阵子，谁都不肯退让，都在原地不动，叫声却震动了整个丛林。

　　泰山只顾和狮子一来一往地咆哮着，却没提防背后又有其他野兽来了。泰山和狮子都没注意到，那东西已经靠近泰山了，直到它发出声音来，泰山回过头去看，才知道是一头犀牛。那犀牛瞪着一双骨碌碌的大眼，发疯一样直向泰山扑来，这时泰山想躲避已经来不及了。在这危急时刻，泰山举起长矛，对准犀牛的胸口飞掷过去。那矛尖不偏不倚刺中了犀牛的肚子，整个矛头都陷进去了，只剩长柄在外面拖着。泰山趁势一跃，从犀牛背上越过去，跳上了一棵树。那犀牛疼急了，又四处找不到泰山，便向狮群冲去。狮子自然没有泰山那样灵活，最前面的一只已经被犀牛用角挑住了。只见那犀牛把狮子挑起来，用力向后一甩，狮子的腹部被豁开了一个大洞，眼看活不成了。剩下的六只狮子见它们的同伴被伤，都十分愤怒，一拥而上，对犀牛发起进攻。这时泰山蹲在高高的树上，观赏着这一场厮杀，觉得非常有趣。这倒不是泰山残忍，这是丛林生活中惯有的事，大猿们也都爱把这种厮杀当成戏看。

泰山看那犀牛非常勇猛,真是拼了命,左冲右顶,不大的工夫,七只狮子已经被它杀死了四只,剩下的三只还在围着犀牛苦斗。其实,泰山的矛尖已经刺伤了犀牛的心脏,它现在的拼杀只是临死前的一股蛮劲罢了。最后,它终于支持不住了,血流得太多,倒在一边死了。泰山在树上看着,见树下遍地是血,这一场狮子和犀牛的大战,就这样以两败俱伤告终。

等到三只狮子走了之后,泰山跳下树来,从犀牛身上拔出长矛,选好吃的地方割下一块牛肉,又回到丛林里去了。这一场厮杀过去之后,泰山也就渐渐把它淡忘了。

十二
兰的报复

泰山就这样在非洲的丛林里任意漂泊、打猎,这里的野兽种类很多,他可以任意选择着捕食,虽然一个人有些寂寞,日子倒也过得逍遥自在。他一点也不知道,就在这个时候,正有五十一个人在到处找他。这五十一个人中,有五十个人生得面貌丑陋,身材矮小,腿儿弯曲,浑身是毛,他们手里全拿着武器,不是锋利的钢刀,就是大头棒。另外一个是他们的领袖,这是个半裸的女人,面貌却生得非常美丽。她就是奥泊城中的女主教兰,那五十个是她手下忠实而勇敢的教徒。她轻易是不出奥泊城的,这次带着教徒出来,是为了寻找掠夺圣刀的仇人,他们非得把圣刀找回来不可。

原来奥泊城失了圣刀是一件很不得了的大事。说起这把圣刀,竟是很有些来历的,是传了多少代的圣物。这把圣刀,别看它是一件小东西,却是兰的宗教权力的标志和物证。即使英国王室丢了他们的族徽和王冠,也没有奥泊城丢失圣刀那么严重。因为兰正是凭借这把圣刀,才能震慑住奥泊城中的族人。原来奥泊城中这一群教徒是大西洋上远古文明岛国的遗民,随着地壳的变化,这一岛国沉入了海底,其中少数居民在发生陆沉的大变故前后,侥幸逃亡到非洲大陆,最终选定了附近有金矿的奥泊城定居下来，建立起他们的太阳教宗教国。他们和外界人绝少往来，大多为近亲结婚，也有的与当地的黑人婚配，所以使得人种退化。只有少数王族中的女性还保留着她们远祖的文明血统，兰就是这样一个一脉相传的女主教。

兰现在心里对泰山十分痛恨，原因不止一个，泰山是异教徒、救下他们祭神的沃泊尔、夺走圣刀固然是原因，但在她的心灵深处，这都还是次要的，倒是泰山两次拒绝她的示爱令她又羞又恨，在奥泊城里，还从来没有人敢给她这样的屈辱和难堪。

兰也深知自己生得天姿国色，在奥泊城里找不出第二个来。因此她自视甚高，轻易不肯下嫁，而从泰山第一次到奥泊城的时候起，她就对泰山一见钟情了。因为她心里明白，如果要保持自己的优良血统，在奥泊城中再也找不到像泰山一样的人了。虽然也常有健壮的黑人与奥泊城有来往，面貌比奥泊城里的教徒像样些，但他们大多是与奥泊城结仇的，兰当然不愿意嫁给他们。兰也曾做过最坏的打算，就是按照奥泊城的老风俗，和一个半人半兽的奥泊城男子结婚，当然，不到万不得已，她是不会走这条路的。她等了泰山十几年总不见他回来，岁月像水一样流逝，她越来越接近绝望，好几次几乎真想牺牲自己，选择一个自己并不爱的配偶，草草完婚了事。丰姿绝世的她，曾多少次为此黯然神伤！天幸遇到泰山，而且这次泰山又回来了，她喜出望外，认为这是天赐良缘，谁知泰山却对她毫无情意，她又羞又愤，自然转爱为恨了。

兰立即召集忠心耿耿的教徒们，当众宣布了泰山的罪状，众人同仇敌忾，发誓要为太阳教洗雪这种奇耻大辱。至于她对沃泊尔，倒没有十二分的仇恨，虽然圣刀是由他拿出奥泊城的，但刀不是他亲手抢的,论罪是该轻一些的。即使逮到沃泊尔,顶多杀死完事,她对沃泊尔既不像对泰山那么恨,也没有对泰山那样复杂的感情。不过,要真捉到泰山,可就不能像捉到沃泊尔那样简单了,因为泰山有着几项重罪:一、他抢夺了女主教的圣刀;二、他用手侵犯了女主教的身体;三、他劫走了祭坛上供奉太阳神的祭品。这些罪状中只要有一条,已经罪不容赦了,所以他们决心要捉住泰山,慢慢地收拾他,让他在痛苦中死去,决不让他一下子就死,那太便宜他了。

兰和她的教徒们,尤其是兰本人,平常是绝对不走出国门的,更不用说进入丛林了,这一次空前的出征,一路上真是艰辛极了,不但要越过高山,还要经过没有路的荒野。幸而找了三只大猿同行,替他们打前站,排除险阻,这三只大猿倒也很出力。兰亲自担任指挥,发布行军命令,选择地方建立营寨,什么时候休息,什么时候开拔,都由她一个人决定。她虽然没有亲临过战阵,但比她部下那些矮人毕竟要精明得多。她对她那些形貌猥琐的部下是十分看不起的,因此她治理队伍的纪律非常严厉。她命令他们,晚上必须给她建造极坚固的营寨,寨前一定要烧起一堆旺旺的篝火,一直到天明,以防野兽的袭扰。当她走得实在太累的时候,她就命令他们砍树、砍藤蔓,捆成能让她坐在上面的担架,矮人们轮流抬着她走。这群不像人样的太阳教教徒们,无论在奥泊城里,还是来到外面,都十分尊崇这位女主教,凡是她的命令都竭诚服从。这里面有两个原因,一个是信奉宗教养成的习惯,另一个是他们都垂涎兰的美丽,都希望她肯下嫁,所以都争前恐后地为她做事,希望能得到她的欢心。

他们有大猿做向导,走了好几天,一路上侦察着泰山的行踪。有一天中午,大家走了不少路,实在累了,都躺在那里休息,忽然有一只大猿站起来,闻着从风里送过来的气息,他好像闻到了什么,警告大家不要出声音,独自一个连跑带跳地奔向丛林中去了。兰知道大猿必定发现了什么,就命令她的教徒都拿起武器,等待着大猿回来报告。

果然,他们等了不久,那大猿就像旋风一样从树上跳着回来了。奥泊城的人本来就通猿语,大猿指着回来的方向说:"那个大白猿找到了,就睡在前边的树上,你们快跟我去杀他!"

兰用极冷峻的口吻命令道:"不许杀死他,把那大白猿活捉来交给我,报仇是兰的职权。快去!只许活捉,不许伤他一根毫毛,违令者严惩!"

所有的教徒都奉命前往,他们跟着大猿走了一段路,到了一个地方,大猿向前面一指,他们顺着大猿所指的方向看去,只见泰山睡在一个树杈上,一只手抓住树的枝干,一条褐色的粗腿钩住另一条树枝,正在那里睡觉。泰山因为吃饱了,似乎也累了,睡得很香,一点也不知道危险已经临近。他怎么也没想到,树下有五十个奇形怪状的太阳教教徒和三只大猿,正打主意要逮他呢。他不知正做着什么有关丛林的美梦,忽然被大猿从树上打下地来,等泰山醒来,已经来不及了,五十个教徒都围上来和他厮打。泰山这时候被围在中间,尽管他力气很大,也是在奋力抵抗,但毕竟矮人人多势众,再加上还有三只大猿,泰山终因寡不敌众,被矮人拖翻在地。

十三
被判酷刑

女主教兰紧跟在她的教徒们后面,见他和泰山厮打,赶紧重申命令,不许伤害泰山。到后来,泰山被他们按住捆上了,兰指挥大家把泰山抬到刚才休息的空场上去,放在一株大树底下。兰又命令说:"你们就在这里替我建造一座营寨,今晚,我们就在这里过夜,明天早晨太阳出来的时候,兰就要把这个侮辱太阳神教的罪人的心肝挖出来,祭祀太阳神。我的圣刀在哪里?谁在他身上搜一搜?"

几个教徒马上拥到泰山身边去搜,但是找了半天也没找到那把圣刀。泰山一直对那些矮人们龇着牙咆哮,但他看见兰时却露出了笑容,觉得似曾相识。他被捉住,被捆起来,自然明白这些人对自己有敌意,或许会有性命的危险,可是依泰山的一贯作风,他没有一点恐惧的表示。

兰问泰山:"圣刀在哪里?"

泰山说:"你的刀不在我这里,拿你刀的那个人前天晚上溜走了,我也不知道他现在在哪里。如果你一定要你那把刀,我可以去把它找回来。你要是把我杀了,你就别想追回那把刀了。不过依我看,一把刀也值不得这样兴师动众,你可以再打一把,不是吗?你带着这么多部下来追我,难道就为了一把刀?"

兰被他说得啼笑皆非,泰山竟把事情看得如此简单!她看到泰山被绑在自己面前,想起自己在他身上倾注的感情,自己对他十余年的苦等,不由得一阵心酸,几乎掉下泪来。她立即转过头去,免得让泰山从自己的表情上看穿自己的心事。她转念又想到泰山的狠心,对自己的绝情,不免心里又恨起来,很想让他尝些苦刑。

过了一阵,营寨建好了,兰对教徒们说:"你们把那大白猿抬进营寨去,到了晚上,容我慢慢收拾他。你们在空场中间建造一个祭台,要跟奥泊城宫里的一样,堆起一堆木头,上面放上水罐,等到明天早晨太阳升起的时候,我们煮他的心祭太阳神,神一定赐福给你们。"

教徒们得到了兰的命令,马上在空场上赶造祭台,一边动手,一边唱着从远古年代传下来的圣歌。其实,他们也不懂得歌词是什么,只是依着调子乱哼罢了。

在营寨里面,兰在泰山的身边走来走去,想着自己的心事。泰山已经听到兰宣布他死刑,知道自己只有一夜好活,他不能不想想逃生的办法了。他挣扎了一下,觉得绳子捆得非常结实,怎么也挣不脱。处在这个荒僻的地方,他也不能奢望外力来援救,只能听天由命了。他抬眼看看兰,见她还在自己身边来回走着,不觉笑了一笑。兰握着一把刀,时不时地看看俘虏,嘴里自言自语着:"今夜,今夜我定要收拾你!"

她看着泰山伟岸健美的体格,英俊的面容,心里虽然还在爱慕他,但从主教的角度看来,泰山犯的罪太重了,万无宽宥之理。

光说他从祭坛上劫持太阳神的祭品,已经有三次了。兰想到这里,扑的一声跪了下来,想将手里的刀刺入泰山的胸口。她看了看泰山,见他面不改色,脸上却依然挂着笑容,看兰咬牙切齿地举起刀来,只是耸了耸肩膀。这时的泰山,有一种英雄视死如归的高贵神情。兰仔细打量着泰山,觉得实在不忍下手。眼前这个风度翩翩的白人,和那些奇形怪状的教徒比起来,实在是有天壤之别,想到这里,兰不觉战栗了一下,叹了一口气。外面天色渐渐暗了,营地的前面烧起了一堆火,火光熊熊,火苗在跳跃着,映照出空场中间刚刚搭好的一座祭台。看来,一切都准备好了,只等天明,就要拿牺牲去供祭太阳神了。兰心里想象着明早就要发生的一幕惨剧,她仿佛看见泰山高大健美的身材在那里挣扎扭动,又仿佛看见他微笑着的嘴唇被火烧得乌焦,慢慢地看不见了,只剩下一副雪白的牙齿,又好像看见泰山一头乌黑浓密的头发被烧得冒了烟,渐渐地化成灰烬。她想到这里,不觉闭上双眼,握紧拳头,颤抖着身子,惊骇万状地站了起来。

  时间如常地流逝着,夜已深了,篝火的光显得更明亮。泰山被捆在那里,动弹不得,又渴又饿,但他一声都不哼。他在丛林里养成的习惯是在危难时刻绝不求谁怜悯,况且自己已经离死不远了,何必呻吟哀求,徒然惹人耻笑呢?兰在黑暗中仍呆呆地站在他身边,手里拿着雪亮的刀,心里在盘算怎样收拾泰山。刀尖仍离泰山的胸口不远,她的一张美丽的脸也在贴近泰山。这时,她往火堆里添了几块木柴,火势更旺了,照得整个营寨都非常明亮。兰低头一看,在自己的脸下面,就是泰山的一张脸,这张脸在火光下更显得棱角分明,像雕像一样美丽。她爱慕他的心潮,不由得又汹涌澎湃起来。

处死触犯太阳神的人,原是太阳宫女主教兰的职责,不过,要处死的却是她思念了十几年的心上人,她的心为此受着前所未有的剧烈折磨,这一夜对兰来说实在是太难了。她想,到明天早晨,她如果不处死泰山,在自己的教徒面前是说不过去的,自己这个当主教的,等于亵渎了神明!这是万万不能的。可是要她亲手杀死心爱的人,天啊!这是何等让她为难的事!在这回肠九转的痛苦之中,她一咬牙,一狠心,想不如索性一刀结果了他性命,也就一了百了。想到这里,举起刀来就准备刺下去,哪知她已被痛苦的心情折磨得筋疲力尽了,刀刚举起来,就晕过去了,身子向前一扑,倒在了泰山身边。等她醒过来的时候,她再也没有勇气举刀了,她抱住泰山,用手抚摸着他,又抱起他的头来,深情地吻了几下,眼泪不由得流了下来,把自己久藏在心里的心事,低声地告诉泰山。泰山并没有出声,原来他已经睡着了。兰折腾了一阵,也实在疲倦了,于是就横卧在泰山的身边,睡过去了。

第二天天色微明时,那帮太阳教徒在外面唱起了圣歌。泰山醒来了,听到歌声越唱越响,接着,兰也醒了。兰醒后并没有马上睁开眼,却先把泰山紧紧搂了一下,柔情地一笑。兰这个举动并不奇怪,因为人刚从梦中醒来时,感情是最脆弱的。及至她睁开眼来,看到了泰山,耳边也立即听到了教徒们唱的送死歌,她知道无法逃避的最可怕时刻终于到了,唇上的笑容立刻消失了,情不自禁地对泰山说:"泰山!爱我吧!只要你爱我,我还来得及救你!"

泰山被捆绑了一夜,浑身都不舒服,有几个部位简直发麻了,正在怒不可遏的时候,听到兰又跟他说什么爱不爱的话,不觉发起火来,咆哮一声,用劲一挣,把身子背过去了,他就以这个动作,作为对兰的回答。兰见此情景,明白泰山是彻底绝情了,羞得她两颊通红,继而又转成惨白。她走到门口,声音有点发颤地叫道:"来!太阳教徒们,准备祭神!"

教徒们听了,队列整齐地走进来,有的过来扛起泰山,有的哼唱着送死歌,又列着队摇摇摆摆地出去了。兰跟着他们,也踏着摇摆的步伐,她的脸色越来越惨白,泰山既然如此绝情,自己也不能不绝情了,她决定把他当作祭品杀了,给自己雪耻消恨。到了祭台旁,她看着矮人们把泰山扛上祭台。有一个祭司拿着火把,等待女主教的命令,俟命令一下,他立即用火把点燃木柴堆。那祭司的脸上挂着狞笑,他的另外一只手里拿着一个杯子,准备接泰山的血。

兰缓慢地高举起刀,抬着头,面对着太阳,喃喃地作着祷告。那祭司看火把快要烧完了,颇为不解:这次兰的举动,为什么与往次不同,明显地过于迟缓?泰山闭着眼,什么话都不说,脸上也没有任何表情。等他睁开眼来,见兰正站在自己身边。他看她脸色惨白,眼里含满了眼泪,呆呆地看着自己,带着哽咽的声音说:"泰山!我的泰山!只要你说一声你是爱我的,肯跟我回奥泊城去,你就可以不死。即使我的教徒们不肯答应,我也有办法让他们服从我。这可是你最后一次机会了,你要好好地想一想,在生与死面前,认真作个选择!你到底肯不肯答应我?"

原来这时候的兰,比面对死亡的泰山心里还难过,可以说是柔肠寸断,早已把自己身为奥泊城主教这件事丢到九霄云外了。

她环顾围绕祭台的男人们,没有一个配做自己丈夫的,只有祭台上绑着的泰山,才真正是自己倾心爱慕、希望和他共度百年的人。只要泰山肯答应一声,自己就是拼死也要救他。她又靠近泰山身边,用极低的声音问他:"你到底答不答应我?"

泰山还没来得及答话,他敏锐的耳朵已经听到从丛林里传来了一声长吼,泰山出乎意外地高兴,马上也引吭长啸了一声,把兰吓得倒退了两步。那个拿火把的祭司似乎有点不耐烦了,嘴里叽叽咕咕地说着听不清楚的抱怨话,把火把换了一只手,火把离柴堆更近了。

兰对泰山还是不死心,忍不住又问了一遍:"你为什么不说话?你到底爱奥泊城的兰不爱?"

这时,兰也听见丛林里有象的吼声,而且听起来声音已经很近了,她看了看泰山的神情,终于明白刚才泰山的长啸,是叫象来救他的。兰瞪圆了眼,火冒三丈,凶声恶气地喊道:"你不答应我,只有死路一条!"

说着,她就吩咐祭司赶快点火。泰山抬起头来看着她说:"象来了!我原想让它来救我的,可是现在我从它的叫声听出来,它正在求偶期,那就等于是一头疯象。它到了这里,不但救不了我,就连你们也都休想活命,看来,咱们得同归于尽啦!"

兰也知道这种疯象的厉害,它若真闯进来,恐怕这里所有的人都难逃一死。泰山这时又低声说:"兰!我不能爱你,虽然你长得很美丽,可是我不能长期住在奥泊城里,我生活的天地是在丛林里。我虽然不爱你,可是我也不忍心看着疯象把你弄死。你快把我的绳子割断,趁它还没到这里,我还有办法对付它,我可以救你免于一死。不过,得赶快了!"

那祭司已经把柴堆点着了,一股黑烟冒起来,转眼之间,熊熊的火焰已经逼近泰山了。兰站在那里,非常焦急,命令虽是她下的,但她到底不愿看着泰山被烧死在火堆里,她脸上充满了悲恨的神情。丛林里象的叫声越来越近,连象的脚步声都能听见了,教徒们有些慌乱了。兰这时侧耳仔细听着。

她终于喊出了一声:"你们都逃吧!"

她命令那群矮人不要朝一个方向跑,要四散逃命。同时她也俯下身去,割断了泰山身上的绳子,泰山立刻从火堆上跳下来。

那个拿火把的祭司见兰放了泰山,勃然大怒,冲到兰和泰山面前,怒吼道:"你这个女主教原来是叛徒,你放了他,我就杀了你!"

他举起大头棒,对准兰的头上就打,泰山却早已跳到兰的前面挡住他,一把夺下他的大头棒,两个人扭打在一起。那些教徒本来要四散逃跑的,这时又都回来了,大家合力帮助祭司打泰山。泰山一看矮人像蚂蚁一样围过来,就抓起祭司,把他的身体横过来权当武器,抡起来打那些矮人。后来,泰山又从矮人手里夺过两根大头棒,这下,矮人虽多,却不是泰山的对手了,只好作鸟兽散。兰还是很镇静地站在泰山后面,手里仍旧握着刀,这时她看着败退的教徒们,心里对他们更加轻视了,相反,却越发觉得泰山勇武可爱。

那头疯象正在这时候闯了进来,瞪着一双血红的眼睛,看着大家,还没来得及跑散的教徒都吓呆了。泰山知道情况非常急迫,就转身把兰抱了起来,朝最近的一棵树跑去。象见众人中有两个人跑得最快,于是大叫一声,随后追来。兰害怕跌下来,就用一只胳膊紧紧搂住泰山的脖子。她觉得泰山轻轻一耸身,就上了那棵树,很快就爬到了树的最高处。

疯象见够不着泰山了,就放弃了这两个人,转过身去追那些教徒,教徒们也都没命地逃跑,可惜他们腿短,又是弯曲的,连走路都一拐一拐的,怎么能跑得快呢?有的被象追上了,用鼻子卷住,向树林里乱扔,有一个被甩在树干上,脑浆都流出来了。也有不少被象踏死的,其余侥幸没被象追上的人,吓得魂飞天外,都逃到丛林里躲起来了。最后,象又来追泰山。本来,在丛林中,象是泰山最要好的朋友,泰山常坐在象背上游荡,还跟它说悄悄话,可是现在,那头象正在发情期,失了常态,当然连老朋友也不认识了,它愤怒异常,非要追上那两个跑得最快的人不可。它来到泰山和兰所在的那棵树下,举起它的长鼻,想卷泰山,见泰山已经爬得很高,它鼻子的长度够不着,就用头去顶树干,拼命摇动那树,幸而这是一株大树,树干很粗,象一时还弄不倒它。

假如树下的不是象,而是狮、豹等其他动物,泰山一定会在树梢上破口大骂,把它们奚落个够,或用绳套套住,把它们吊起来,可现在在树下攻击他们的,是他平日的林中好友,泰山当然不忍伤害它。他知道等象的疯劲过去了,还会是他的好朋友,象的宽阔的背上,还会是他最好的休息场所,他还可以凑在它的耳朵上大聊闲天。比这更为重要的是,泰山遇到危险时,象会不顾一切地来援救他。泰山怎么舍得下手收拾大象呢?

象还在继续晃动着树干,见推不倒它,更加生气,抬起头来,睁着血红的眼睛,怒视着泰山和兰,然后又用长鼻子卷着树干,一阵地猛拖。泰山见树根已经露出,树身也已动摇,恐怕这里立脚不稳,便立刻扛着兰,跳到另外一棵树上去。两棵树之间有一定的距离,兰非常害怕会掉下去,就闭住眼睛,紧紧搂住泰山,等她再睁开眼时,泰山已带着她安全地到了另一棵树上。象还在拔着原来那棵树,泰山为了更好地避开危险,背着兰向更远的树跃去。结果,泰山最初跳上去的那棵树已经被象拔起来了,连旁边他们才站过的那棵树都被压倒了。象见树上没有人,知道他们已经逃走了,怒吼一声,又追了上去。

十四
女主教柔肠百转

兰在泰山背上,起初紧紧闭住双眼,根本不敢看,心里非常害怕,连喊都不敢喊。渐渐地,她觉得泰山带着她跳跃了几次,都没有掉下去,胆子稍微大了一点,微微睁开眼看了一下,哎呀!原来距离地面有这么高了。不过,他们毕竟已经跳过几棵树了,她心里也仿佛有点底了,只要有泰山在身边,看来是不会有什么危险的。她大着胆子睁开眼睛之后,看泰山背着她,从这棵树跳到那棵树,虽然距离很远,却总是一跃而过,这才完全放下心来。当她感到安全以后,抬起头来,默默地祷告着,感谢太阳神的保佑,庆幸自己没有轻易杀了泰山,否则,遇上这场灾难,谁能救自己呢?想到这里,眼泪又忍不住滴了下来,女子本来就容易多愁善感,兰处在这种特殊环境里,心绪更是容易发生变化,她一会儿像个杀人魔王,一会儿又像个柔情似水的女儿家。一阵子恨起泰山来,恨不得马上杀了他,以报他拒绝自己以身相许之仇;一阵子又泪水涟涟,把满腔的恨化成了怜爱。她虽然是个具有无上权威的主教,但她毕竟是个女子。

她伏在泰山背上,面颊紧贴着泰山的肩头,渐渐地,她转过脸来,用嘴唇吻着泰山的肩。她觉得尽管泰山拒绝她,她无法让自己不爱泰山,此时此刻,就是要她为泰山而死,她也是情愿的。虽然就在一个小时之前,她曾经执着刀,准备杀他,而且今后她也不敢保证不会对他下毒手,但此时此刻,她是爱他的,全心全意地爱!

这时那头疯象已经找不到树上的两个人到哪里去了,于是又改变目标,它瞥见丛林里有一个教徒,就照直追上去,那教徒没能逃掉,被象追上,一脚就踏死了。象追到这里,却迷了路,往南边跑去。过了一会儿,泰山所在的这个地方再也听不到象的叫声了。

泰山从树上跳下来,把兰也从背上放到地上,说:"把你的教徒们召回来吧!"

兰说:"我为你割断了绳索,他们是看见了的,若召他们回来,定会杀死我的。"

泰山说:"他们绝对杀不了你,有我人猿泰山在这里,他们没有一个敢杀你的。你把他们集中起来,我可以和他们谈谈。"

兰犹豫着,泰山用眼神示意她照他的话做。于是兰对着丛林高声叫喊起来。不多一会儿,丛林的各处都有了回应声:"我们来了!我们来了!"

兰又接连叫了几声,那些没有被疯象弄死的教徒们失魂落魄、三三两两地回来了,开始还在探头探脑、东张西望,当他们看到象不见了,泰山和兰在一起时,都远远地站住了,脸上生出怒容。

泰山对那帮矮人说:"你们的主教兰安然无事。如果刚才她杀了我,她的命也保不住。至于你们,就更不用说了,恐怕没有一个能逃掉活命的。我主张，从此泰山和你们，各自按照自己的方式生活，互不相扰，你们的意见如何？"

教徒们听了，都摇摇头，聚在一起，叽叽喳喳地议论着。兰和泰山都猜到了他们的意思，他们很可能是不愿意再拥戴兰做奥泊城的女主教，也不愿饶恕泰山的重罪，不甘心让他这样轻轻松松就走了。

泰山也看出了他们的心思，颇为严肃地说："你们最好还是服从你们女主教的命令，好好保护她回奥泊城去。如果不肯，你们可知道我人猿泰山的厉害？我可以把丛林中的野兽叫来，把你们统统咬死、撕碎，一个不剩。因为兰救了我，我也愿意帮助兰和你们大家，我看还是讲和的好。真正动起手来，也许会两败俱伤，你们绝对讨不到什么便宜。倒不如我回我的丛林去，你们回你们的奥泊城。至于你们要找的那把圣刀，我实在不知道拿走刀的那个人现在在哪里。我看，你们要用，不妨再铸一把，我真不懂，为了一把刀，何必费这么大的事？兰没有杀死我，我也救了兰，我想你们的太阳神一定也会高兴的。如果没有我，你们的女主教恐怕早死在疯象脚下了。好了，道理我已经讲明白了，你们到底愿不愿意护送兰回奥泊城去？"

教徒们聚在一起商量了好一阵，泰山看他们眼睛里还放出仇视的光，开始，兰和泰山都不明白他们是怎么了，后来才弄清楚，矮人群中有一个祭司在捣鬼。原来那个祭司的地位很高，仅仅比兰低一些，他平时对兰就怀着非分之想，现在看兰对泰山如此钟情，嫉妒之火燃烧着他的心，自然对泰山不肯善罢甘休，必欲置之死地而后快。教徒们都同意泰山的话，只有他一个人反对。最后，有一个教徒举着手，走到兰面前说："我们大家都愿意保护女主教回奥泊城，觉得大白猿说的话有道理，何必两败俱伤呢？可是祭司卡杰反对，他坚持主张把女主教和大白猿一起杀了祭神！"

泰山没容兰说话，就站出来说："你们是多数，他只有一个人，你们为什么要听他的？你们尽管护送女主教回奥泊城去，卡杰胆敢出来反对，有我人猿泰山在这儿，杀死他易如反掌。"

教徒们听了泰山的话都表示赞同，这帮教徒平时把祭司的话当作金科玉律，丝毫也不敢违抗，今天他们实在被疯象吓破了胆，又见泰山在疯象的袭击下像在林间飞翔一样地救了兰，知道这么多人加起来也不可能是泰山的对手，而且看女主教也不反对泰山的意见，自然都站在女主教一边，坚决抵制卡杰的主张，使得卡杰也只好屈服了。这天，这群矮人才第一次知道，众人的力量可以强迫坚持错误意见的某个人屈服，这在他们的生活里，还是从来都没有过的事。大家像尝到了甜头一样，非常高兴，于是一拥而上，围住卡杰，问他愿意服从大家的意见，还是愿意被泰山杀死，并逼着他马上明确答复。卡杰慑于泰山的勇猛和舆论的威力，只好垂下头，低声嘟囔说，愿意服从大家的意见。泰山见卡杰答应了，才走到卡杰跟前，和蔼地说："卡杰！女主教兰回奥泊城，是得到了众教徒拥戴的，今后，我人猿泰山也会做她的后盾，她若遇到什么危难，我会拼死相助，决不食言。在下次雨季到来之前，我会重到奥泊城，来拜访你们的女主教兰，如果有人伤害了兰，我可是要找你卡杰算账的。"

卡杰被众人围着，没别的办法，只好一一答应下来。

泰山又对众教徒说:"你们好好保护兰回去,泰山下次再到奥泊城来时,希望兰能平安无事地来迎接我。"

兰听了非常感动,马上说:"兰一定来迎接你,我会时刻等着你,盼望你尽早重来奥泊城。你能告诉我你什么时候再来吗?"

泰山说:"这可就难说了。"说完,向他们道了别,跳上树去,往东边走了。

兰站在那里,目送着泰山远去,直到看不见泰山的影子了,才低下头去,微微叹了一口气。自己虽然遇难未死、平安归来了,可现在心里却觉得空落落的,像丢了什么东西。在无可奈何的心情中,她只好带着部下回奥泊城去了。

泰山一口气向东走去,直到晚上才停下来。天黑了,找一棵树躺下来睡觉,望着满天的星星,回想起对兰的安置,觉得十分妥帖,就安心地睡去了。第二天早晨,他照例下树来找东西吃。他根本不会想到,就在离他不远的北方边境上,他的夫人琴恩正困在阿奇米特的村寨中,天天盼望丈夫从奥泊城赶回来营救她,她哪里知道,此时的泰山正若无其事地抱着一株枯树,在寻觅昆虫呢!

吃完了早餐之后,泰山忽然想起自己带回来的石子,他想回到原来埋藏的地方,挖出来摆弄一番。这样想着就向埋石子的方向走去了。本来,在这样漫无边际的草丛里,其他人是无论如何也辨不出方向的,可是泰山凭着他特殊的识别能力,很快就找到了他亲手埋藏石子的地方。

他找准那块地方,就用猎刀往下挖,挖到了足够的深度,却没有找见钱袋之类的东西。他又往下挖,还是没找见。泰山蹙着眉头沉思了一阵，想起沃泊尔向自己要过这个东西，自己没给他，后来这个人又莫名其妙地跑了，这些情节都十分可疑。他前前后后想了一阵，决定去追沃泊尔。

沃泊尔留下的足迹已经有好几天了，换成别人一定辨认不出，可是对泰山来说是不成问题的。人猿泰山从小就在兽群中生活，练就了这种本领。假如要我们去追踪逃犯，如果是男人，希望他是喝过酒的；如果是女人，则希望她搽过香水，只有这样，才有助于我们从嗅觉上寻找踪迹。但兽类的嗅觉比人类强得多，即使时间过得较久，兽类也能从足迹上嗅出气味来，泰山在这方面，有着与兽类同样的本领。

泰山去追沃泊尔，当然要靠这种超常的嗅觉。但他除了嗅觉之外，毕竟还有着人类的智慧。

泰山循着沃泊尔的足迹一直追入丛林，一路向北走去，凭着他的嗅觉和观察，他断定没有追错，一定能够追上。他的日常生活仍旧保持着常态，饿了就打猎捕食，疲倦了就休息，入夜往往是找一棵大树睡觉。路上有时也碰见黑人，但他一心要找沃泊尔，所以从来不去理会黑人。这些黑人原来就是瓦齐里人，听比苏里的命令，一起去向阿奇米特寻仇的。泰山已失去记忆，当然不认识他们，在他童年的生活历程中，没有一个黑人是他的朋友。现在，他既然没有心思去惹这些黑人，当然也不会在他们跟前露面，甚至是有意不让他们发现自己。

有一天晚上，泰山追到了阿拉伯人的村落，他发现这里就是沃泊尔脚印的终点，于是就跳上树去，观察村里的情形。虽然他能断定沃泊尔是进了这个村，可是村落里有很多茅屋，还有帐篷,他要从这么多茅屋和帐篷中找出沃泊尔来,还是要费一番周折。他明白自己不能贸然进村,不然会寡不敌众。他想,不如暂时躲在林中,等到夜晚,潜入村去,找出沃泊尔的踪迹,再作打算。

于是他安心地躲在树上,吃着带来的野猪大腿,连里面的骨髓也咬开来吃了,边吃边留意着观察村里的情况。只见村里来来往往的,既有穿白袍的阿拉伯人,也有半裸的黑人,他仔细看看,这些人中没有沃泊尔。

泰山在树上等到天完全黑了,又等到村里的烛光都灭了,知道村里的人都已入睡,只在村口留下了一个黑人守望。他知道是时候了,于是轻轻从树上跳下来,蹑手蹑脚地向村子后面走去,同时解下身边的绳子来。这条绳子是一条牛皮索,比他小时候用的草绳要结实得多。他在绳的一端打了一个活结,套在村后的栅栏顶上,轻而易举地就攀过了栅栏。

现在,泰山已经进到了村里。在他面前是一排排帐篷和茅屋,他想如果一处处去找,势必非常危险,而且他也不知道村子里入夜会不会放狗出来,必须十分谨慎才行。于是他决定用嗅觉,从门、窗和帐篷的缝隙中去探察,看里面有没有沃泊尔。他找了好几个地方,都没有沃泊尔的气味。最后,他到了一座帐篷前,嗅到里面有很强烈的白人气味。泰山在帐篷外侧耳细听了一阵,里面却一点声音也没有。

泰山观察了一下周围的动静,见没有什么危险,就用刀割断一根拴帐篷的绳子,从帐篷底部松开的地方钻了进去。里面非常黑,什么也看不见,泰山闻到了很浓的沃泊尔的气味。他搜寻了整个帐篷,却没有人,泰山断定沃泊尔一定在这里住过。他又在帐篷内仔细寻找,在一个角落里找到了一大堆绒毯,还有一些乱七八糟的衣服。泰山在这一堆东西里仔细检查了一番,没找见他装石子的那个钱袋。他把整个帐篷凡是能藏东西的地方都找遍了,始终也没找着。最后他发现另外一根拴帐篷的绳子也是被割断的,好像有人从这里钻出去过,他用鼻子一闻,果然是沃泊尔的气味,泰山断定沃泊尔已经从这里逃走了。

泰山就顺着帐篷底部开口处追了出去,他尽量挑选在帐篷之间的阴影里走,怕被村里人发现,纠缠起来耽搁了时间。

他走到一间茅屋的前面,发现墙脚下有一个挖开来的洞,他觉得很可疑,于是就小心谨慎地从洞中爬了进去,他觉得屋里的气味比较复杂,好像不是从一个人的身上发出来的,其中最浓的是一个女人的气味,泰山一闻到这个气味,马上产生了一种不同寻常的感觉,他觉得这个气味自己似乎十分熟悉。这是谁的呢?他却怎么也想不起来了。这屋里也有沃泊尔的气味,这两种气味是混杂在一起的。他在这里也仔细搜查了一遍,既没有人,也没有装石子的钱袋,于是他又从原来的洞里爬出来,仍旧循着沃泊尔的足迹,穿过空地,越过村边的栅栏,向黑暗的森林中追去。

十五
沃泊尔逃亡

那天晚上在阿奇米特营寨的帐篷中,沃泊尔用绒毯在床上安排了个假人之后,就割断了拴帐篷的绳子,从帐篷底下逃了出来,直奔囚禁琴恩的茅屋。

茅屋门口蹲着一个黑人值班守夜。沃泊尔走近黑人身边,伏在他的耳朵上轻轻讲了几句什么,并给了黑人一根纸烟,就走进茅屋里去了。值班的黑人接过纸烟,看着沃泊尔的背影,现出微笑来。他知道在阿奇米特的营寨中,沃泊尔是第一红人,无论他走到哪里,都没有人盘问。今天晚上他要见女俘房,想必是有什么事,值班的人当然没有必要向他要阿奇米特的命令。

沃泊尔进了茅屋之后,用法语低声叫道:"格雷斯托克夫人!请不要害怕,我是弗立柯,你在哪里?"

叫了几遍,都没有人回答。沃泊尔觉得非常奇怪,但他又不敢点灯,只能在茅屋里到处乱摸。但是到处都摸遍了,屋里居然一个人也没有。沃泊尔大吃一惊,正想跑出去问那个值班的黑人,这时,他忽然发现后墙脚有个透光的地方。他连忙跑过去一看,见墙上被挖开了一个洞,足够一个人钻出去。他猜想琴恩一定是从这洞里逃走了,他急于想去追琴恩,于是也从这洞里钻了出去。

沃泊尔既然发现琴恩逃跑了,他为什么不声张起来,而要独自一人去追呢?原因有三:第一,自己也是必须逃跑的,绝不能再去见阿奇米特;第二,他不能不为自己今后的出路着想了,他想,他若救了琴恩,琴恩一定会感激他,这样一来,即使他在军营中杀害长官的旧案事发,他也可以通过琴恩求得英国人的帮助,不致被引渡回国治罪;第三,他考虑自己这次出逃,只有一条路是安全的,他不能往西方,因为那里是比利时的属地,自然不能渡过大西洋。往南走,会遇到泰山,那当然也是送死。北方则都是阿奇米特·泽克的朋友或余党。只有向东走,到英属的东非洲,自己的安全才能得到保证。身边这位被他从危难中救出来的有身份、有爵位的英国贵妇人,能够证明自己是法国人,叫弗立柯,这样就可以不受英国官方的阻拦,一直到海口了。若能如此,那实在是太好了。

现在,茅屋里虽然没有找到琴恩,可是据沃泊尔分析,跟踪往东追去,很可能会找到她。一向是个酒色之徒的沃泊尔,眼下连活命还不能保证,却又产生了非分之想。原来他初次见到琴恩的时候,就觉得这位英国贵族夫人真是天生丽质,又有极好的风度,早就萌发过非分之想。这次若能救了她,一路上再用些温存的手腕,到时候再捏造一个谎言,就说她的丈夫泰山已经死了,琴恩或许肯嫁给自己做妻子。

沃泊尔就这样胡思乱想着,走到了村寨的边缘上,发现有三根长木靠在栅栏上,他便利用这些木料,像猿猴一样爬到栅栏顶,跳到村外,向东边的丛林里跑去了。

此时,在沃泊尔的南边,几里路以外,琴恩为了逃避饥饿的狮子,爬上了一棵树,正蹲在树杈之间气喘吁吁。原来琴恩从村落中逃出来却比沃泊尔容易。她从茅屋的墙上找到了一把刀,大概是以前住在这茅屋里的人遗留下来的,她就利用这把刀在墙上挖洞,每当听到屋外有脚步声向茅屋走来时,她就急忙用东西把洞挡上,一次也没被人发现,最后挖到足够自己爬过去的大小,她就从墙洞里钻了出去。在黑暗中摸索着走了一段路,没被人撞见,就到了村子的栅栏边,她看见地上放着几根长木,便把它们立起来靠在栅栏上,鼓足勇气,爬了过去。

琴恩顺着猎人常走的一条小道向南走去,走了一个多小时,就出了这条小道的南口。她隐约听到背后有野兽的脚步声,以前她常听泰山说起,在丛林中遇到狮子老虎等等,只有爬上树去,才能安全,今天自己终于有实践泰山这句话的机会了。

沃泊尔倒没遇到什么野兽,他一直往前走,走到天亮,才看见一个骑马的阿拉伯人,穿着阿奇米特部下的制服远远地追来,沃泊尔估计是来追自己的,连忙躲进树丛里。

原来,琴恩逃走是在沃泊尔之前,阿奇米特的手下并没有发现。而沃泊尔从自己的帐篷中出来,到过琴恩的茅屋里,却有一个人知道,就是那个值班的黑人。后来接他班的人被莫干壁打死了,事后他发现了,也没敢声张,以为是沃泊尔干的。他受了沃泊尔的一点小恩小惠,有点心虚,说出来怕阿奇米特会怪罪。等到又轮到他值班的时候,他趁四周没有别人看见,就把那个值班人的尸体拖进邻近的茅屋中去了,自己则仍旧坐在门口值班,他满以为琴恩还在屋里呢。

马突然受了惊吓,狂嘶起来。

沃泊尔发现有个阿拉伯人骑马追来,立即躲入灌木丛。这条小径比较直,所以沃泊尔看那个阿拉伯人看得很清楚。眼见那穿白袍的人渐渐逼近了,沃泊尔拼命矮下身去,连大气都不敢出。正在这时候,沃泊尔突然发现道路对面树旁的藤萝在摇曳,这时并没有风,他觉得这是个奇怪的现象,就注视着那里。过了一小会儿,藤萝又摇动了一下,沃泊尔疑心自己是不是看错了,就不眨眼地盯着那里。后来,从藤萝里冒出了一个硕大的狮子头,这是一只饿狮,样子非常凶恶,两道黄绿色的目光直射沃泊尔隐伏着的地方。

沃泊尔知道狮子已经发现了自己,吓得直想马上逃命,即使能爬上一株树也好,可是身边都是灌木,要找一株高树,必须跑一段路才行。可是看看从路上追来的那个阿拉伯人已经迫近,如果自己站起来被他发现,也会送命的,因此他既不敢出声,也不敢动,伏在原来的地方吓得发抖。那个阿拉伯人骑着马越来越近了,对面的狮子正准备扑出来,骑马的人却闯入了它的视线。

沃泊尔躲在灌木丛里,哆哆嗦嗦地观察着动静,那阿拉伯人似乎还没发现附近有狮子,仍旧策马前进。沃泊尔倒担心那匹马闻到狮子的气味,不肯再往前走,那可就要暴露自己了,心里暗暗着急。但那马竟没有察觉,仍昂首奋蹄向前跑去。沃泊尔这时又望了望那狮子,那狮子的注意力却都放在骑马的人身上了。沃泊尔一直盯着那狮子,见那狮子并没有马上扑上去的意思,心里不免又害怕起来,难道狮子在等骑马的人过去,再来扑自己吗?他把身子稍微站起来一点,这时,那头狮子从隐匿的地方直扑向阿拉伯人。马突然受了惊吓,狂嘶起来,竟照直朝沃泊尔隐藏的地方跑过来了,沃泊尔这一惊可是不小,可这时狮子已经把阿拉伯人从马背上抓下来了,那马就乘这个间隙,向西飞跑去了。沃泊尔趁马跑到他身边的时候,一把抓住马鬃,腾身跳上去,骑着马逃跑了。

大约半个小时之后,泰山来到了沃泊尔飞身上马的地方,他忽然嗅到空气里有异常的味道,闻出一股血腥气,还混合着狮子的味儿。于是他停住脚,侧耳细听周围的动静。

泰山听到临近路旁的树下隐隐传来狮子吃东西的声音,他就顺着声音轻轻跳过去,隐身在树上的枝叶间向下探望。泰山刚到那里,狮子已经发现上边有声音了,于是发出一阵咆哮。

泰山知道狮子已经发现了自己,索性拨开树叶往下看,看见狮子在吃一个人,剩余的部分血肉模糊,看不出面目,无法判断是不是沃泊尔。不过他从脚印上断定,沃泊尔确实到这儿来过,于是他又回到路上去找了一阵,可再也找不到他往别处去的脚印了,也没有找到那个钱袋,于是他又回到树上枝叶浓密处。那头狮子不停地对他咆哮,他觉得很心烦,就扔树枝打那狮子,狮子也怒视着树上,继续咆哮,它始终不肯丢下没吃完的美食。

泰山看狮子如此贪婪和凶恶,有点气不过,就拉弓搭箭,向狮子肚子上射去。狮子一疼,猛跳起来,只是把树撞了一下,又扑不到泰山,就在树下乱跳乱叫,泰山恼了,又放了第二箭。没多久狮子倒下不动了,泰山跳下树去,拔出猎刀,彻底杀死了狮子。

泰山从狮子的尸体上拔下箭收起来,就去检查那个人的尸体,尸体已血肉模糊,分辨不出是不是沃泊尔。沃泊尔既然从阿拉伯人的村里逃出来,改穿阿拉伯人服装也是合情合理的。于是泰山就在那个尸身上寻找钱袋,可是怎么找也没找见,想来狮子不会连石子一起吃掉,他又翻来覆去地找,还是没找着,不禁大失所望。这时,泰山真是气不打一处来,不但生气找不着钱袋,也恨那狮子杀了沃泊尔,使得自己失去了亲手报仇的机会。泰山垂头丧气地又回到了路上。他暗暗打定主意,晚上再到阿拉伯人村子里去查探。他累了这一阵,觉得肚子有点饿了,就打算先到南边去打猎,先吃饱,然后到阿拉伯人村外的大树上去睡一会儿,天黑再瞅机会进村。

泰山才从这里离开,就有一个黑武士匆匆经过,一直朝东去了。这个人就是莫干壁,他是在寻找女主人。他走到这里,发现地上狮子的尸体,仔细查看了狮子送命的原因,不觉大吃一惊。泰山虽然把箭收了回去,但是箭痕刀痕还都在,莫干壁能看出这是主人泰山所为。他仔细看了一阵,又摸了摸狮子的尸体,觉得还有暖气,由此看来,杀死狮子的人还没走远。莫干壁向四周探望了一会儿,却不见一个人影,于是他仍旧往前走,一面走一面高声喊着:"夫人!夫人!"他希望琴恩就在附近,听到自己的声音能从什么地方走出来。谁知却给自己惹来了一场祸事,几乎送了命。

此处的东北方向有个国家叫埃塞俄比亚,六个月以前,有一股阿拉伯入侵者曾经骚扰边境,掠走了一些当地土著人去做奴隶,据说他们的首领正是阿奇米特·泽克。埃塞俄比亚国王阿不都勒·莫罗克派出了以门尼勒克将军为首的一支搜索军队,沃泊尔和莫干壁恰好也在这条路上,只是队伍在前,那两个人在后。沃泊尔没有注意他们,只管骑马冲了过去,被他们拦住盘问了好久。搜索部队觉得这人支支吾吾、形迹可疑,便将他抓去见门尼勒克。

沃泊尔一见门尼勒克不是欧洲人,就放下心来。于是他谎称原籍法国,是到非洲来打猎的,遇到了土匪,部下都被杀了,自己幸免于难,只身逃亡至此。门尼勒克听了之后没说什么,只是命人把沃泊尔看管起来。后来沃泊尔才慢慢知道,这支队伍就是来追缉阿奇米特的,他深恐这支队伍作战失败,自己再被阿奇米特捉回去,那可就一切都完了。于是他有意向部队散布一些话,把阿奇米特说得如何如何厉害,还谎称听说阿奇米特不久就要南下。

军士们把沃泊尔的话报告给了长官,门尼勒克于是把沃泊尔召去问话,沃泊尔就趁此机会添油加醋,信口胡编了一番,没想到门尼勒克果真中了他的诡计,下令军士们暂时在此驻军不动,等请示过之后,就回埃塞俄比亚。

一天午后,全队军士正驻扎在营房里待命,忽然听得西面传来一个很响亮的声音,一声接一声地在叫喊"夫人"。

埃塞俄比亚的军士们听了都非常惊奇,门尼勒克将军派了一小队人出去探视情况。大约半个小时之后,军士们簇拥着莫干壁回来了。

莫干壁莫名其妙地被带进军营之后,第一眼就看见了自称弗立柯的那个人。他记得这家伙就是曾经在主人庄园上做过客的那个人,后来,又在阿奇米特的村子里见过他,他和阿拉伯人非常要好。自从泰山的庄园遭了浩劫,莫干壁就非常愤恨沃泊尔,他认为主人家这一连串的事故都跟沃泊尔有关。他一进门就认准了沃泊尔,但因为莫干壁没跟泰山到奥泊城去,沃泊尔并不认得莫干壁。

门尼勒克盘问莫干壁时,莫干壁自称是南方部落里的猎户,没有要冒犯军队的意思,要求门尼勒克释放他。门尼勒克没有答应,因为他看莫干壁体魄健壮,应对谈话也很机灵,准备带他回去献给国王。过了几天,队伍开拔回国,莫干壁和沃泊尔一同被队伍带走。沃泊尔起初仗着自己是法国人,想借此恫吓军士们,结果惹恼了他们,给了他几个耳光,喝令他住口,不然就杀了他,这下沃泊尔才闭上嘴,不敢再出声了。

莫干壁不言不语,把这些都看在眼里。他这才明白,原来沃泊尔也和自己一样是个俘虏。他对于自己被捉并不担心,他相信只要遇到机会,他完全可以逃走。于是莫干壁有意使出和气、拉拢的手腕,没多久,他就和埃塞俄比亚的军士们混得很熟了。在闲聊之中,他向他们打听埃塞俄比亚国里的情形,国王的性情如何,有意无意间经常流露出自己愿意归顺埃塞俄比亚国的意思。从此之后,他跟他们打成了一片,相处得非常融洽,一点儿破绽也没露。

日子久了,莫干壁的行动就自由了许多,他总想找个机会,向沃泊尔打听一下泰山的下落,是什么人掠夺焚烧了庄园,以及女主人被绑架的事。但他非常小心,不让任何人对他产生怀疑。他试了几次都不成功,因为沃泊尔也心怀鬼胎,十分狡猾,怎么也不泄露他和阿奇米特的关系。但是,终于被莫干壁发现了一个大疑点,这是他在无意中看到的。

那一天天气非常炎热,大队人马正好在一条河边扎营。河水清可见底，应该没有鳄鱼，埃塞俄比亚的军士们都下河去洗澡了。莫干壁和沃泊尔也得到了格外的许可，准许他们下河。脱衣服时，莫干壁看见沃泊尔从汗衫里解下一包东西来，他的神情和动作有点鬼鬼祟祟的，这当然使莫干壁产生了疑心，于是暗中注意着他。

沃泊尔失手把钱包里的宝石撒出来了一些，莫干壁跟着泰山这么多年，已经不是个无知无识的蛮族人了，他曾随泰山到过伦敦，他一眼就认出那些光彩夺目的东西是宝石，尤其是那只钱袋，他特别眼熟。记得泰山每次出外打猎的时候，总喜欢把自己打扮得像人猿一样，这只钱袋也是他的猎装之一。其实，说是钱袋，也就是一个革囊，这只革囊莫干壁少说也看到过一千次了，决不会认错。现在，主人泰山不见回来，却从这个形迹可疑的沃泊尔身上发现了他的钱袋，里面还装满了宝石，莫干壁越发迷惑不解，也更加疑心了。

沃泊尔知道钱袋和宝石已经被人看见了，就慌忙收拾起来，藏在衣服底下。莫干壁也装作没看见的样子，头也不回，就和沃泊尔一起泅到河里洗澡去了。

第二天早晨起来，门尼勒克大发脾气，不停地骂着什么，沃泊尔一打听，才知道莫干壁昨夜逃走了。沃泊尔吓了一跳，以为自己的宝石被他偷去了，急得直冒冷汗，偷偷伸手一摸，钱袋还在，掂一掂分量，似乎也没有减少，这下才放了心。

十六
又成领袖

阿奇米特·泽克发现沃泊尔逃跑,马上出动人马追赶。他命令部下四下里散开,天亮之后,再一点点缩小包围圈,自己则带着两名得力的部下直向南方追去。他和两名部下追到第二天中午,到了一个空场,空场的南头有一株大树,他们也实在累了,就在树下休息。追不到沃泊尔,阿奇米特更加生气。一则因为自己平时那样信任他、重用他,他竟敢背叛自己;二则因为追不到沃泊尔,那包价值连城的宝石就弄不到手了。现在自己发财的唯一希望,只能放在抢来的那个女人身上了,如果把她卖到北方,可以得到一笔不小的款子。另外还有埋在英国人庄园废墟里的金砖,必须早一点派人去挖回来。有了这两笔进账,聊可补偿丢失宝石的损失。

阿奇米特正在盘算,忽然听到空场对面的丛林里仿佛有什么响动。他准备好来复枪,命令两个部下也作好准备。三个人都躲进灌木丛里去,目不转睛地看着对面的丛林。过了一会儿,树叶渐渐分开了,竟露出一张女人的脸来!

等阿奇米特看清了这个女人之后,大吃了一惊,原来这女人就是他以为至今还关在茅屋中的琴恩!

但是令他觉得奇怪的是，琴恩身边没有别人。他真不敢相信，琴恩竟会是一个人跑出来的。为了不惊动琴恩，阿奇米特向两个部下使个眼色，示意他们不要动，静等琴恩走上空场。原来，琴恩从村中逃出来之后，在路上已经有两次遇见狮子了，总算，她记得泰山平日说过的话，两次都侥幸逃过了危险。

阿奇米特见她向空场走来，心里暗暗高兴，他不知道就在这个时候，在附近的一棵树上，还有一双眼睛，也在透过枝叶望着琴恩。这个人觉得琴恩非常面熟，好像曾在哪里见过，所以一直怔怔地望着她。

正在这时，树丛中忽然响起了一声枪响，把琴恩和阿拉伯人，以及站在树上的那个人，都吓了一跳。琴恩站住了，她正想找出枪声是从哪儿来的，忽然从她身后的树丛中跑出一只大猿来，后面还跟着一只，琴恩顾不上细看到底有多少，吓得大叫着向南边逃去。

琴恩慌不择路地跑进对面的树丛，阿奇米特和他的两名部下轻而易举地就把她抓住了。几乎在同时，有一个半裸的棕色大汉从右边的树上跳到空场中，他就是泰山。他一到地上，马上走到大猿身旁，对它们讲了许多话，也没等它们回答，就急急忙忙追赶阿拉伯人去了。

阿奇米特已经把琴恩拖到了拴马的地方，两名部下赶忙解开三匹马，准备把琴恩推上马去。琴恩正在阿拉伯人手里挣扎的时候，忽然一抬头，看见泰山赶到了她跟前，这可真是喜从天降，她大叫道："泰山!谢谢上帝!你来得正好!"

那两只大猿虽然没有完全弄明白泰山要干什么，却顺从地紧跟在泰山后面,准备和阿拉伯人决战。阿奇米特见一个半裸的白人带着两只大猿向他们走来,待走近了,认出那人就是泰山,知道是冤家路窄了,他决心杀死泰山,永绝后患。

阿奇米特没有对两个部下说什么,怕他们一听到泰山这个名字就会吓跑。他只命令部下也照他的样子做,用来复枪射击对面来的敌人。三枪齐发,泰山和那两只大猿都被他们打中了,倒在了地上。

本来另外还有一些大猿,听到枪声都停在原地,不敢过来了。阿奇米特趁这个时候,和他的部下跳上马背,飞也似的奔回村寨去了,琴恩又一次成了他们的俘虏。

阿奇米特再次把琴恩逮回来,加倍严防。他把琴恩囚禁在另外一间小茅屋里,手脚也捆绑起来,还增加了值班看守的人。接着,阿奇米特派去追赶沃泊尔的阿拉伯人也都两手空空地回来了。阿奇米特独自在羊皮帐中来来回回不停地走着,想到沃泊尔竟带着宝石跑了,煮熟的鸭子在自己的鼻子底下飞了,简直气得七窍生烟。

再说那一群大猿看着放枪的人都骑马走远了之后,才顾得上去看被打倒的同伴。有一只大猿已经死了,另外一只和那个半裸的大白猿还有些气。大猿们自然不懂得该如何救护,只会围着两个受伤者转来转去地着急。

第一个苏醒过来的是泰山,他觉得肩头很疼,看了看才知道肩头中弹了。这一枪虽然打得很重,但不致命,不会有生命危险。他慢慢挣扎着起来,望着刚才琴恩站过的地方,心里觉得恍恍惚惚,若有所失。他转头问大猿们:"刚才那个女人呢?"

有一只大猿回答他说:"那三个白猿把她带走了。你是谁?你怎么也会说我们大猿的话呢?"

泰山回答说:"我是泰山,是打猎和打仗的能手。只要我叫一声,丛林中所有的动物都会害怕。你们没有听说过吗?我是丛林中非常有名的人猿泰山,离开这里很久了,这次来,是来寻访旧日朋友的。"

猿群中一只老猿听了,走到他跟前,仔细端详了一阵,说:"不错,我记起来了,他真是人猿泰山,很久以前我就认识他。他这次回来对我们是好事,我们又可以好好出去打猎了。"

大猿们听了老猿的话,都好奇地围过来闻泰山身上的气味,泰山站着不动,露着牙,防范着。最后,人猿们没有一个反对,大家都同意泰山加入他们这一群。他们又想起那只受伤还没死的大猿,大家又围过去看它。那只大猿被弹片从脑袋上擦过,流了不少血,但不会死,醒过来之后会慢慢好的。

大猿们一边走一边告诉泰山,它们是要到东边去打猎的,路过这里,闻到有人的气味,所以走过来,发现了一个母白猿。现在那母白猿被三个披白衣的白猿劫走了,在这里也得不到猎物,于是大家都主张继续往东走。但泰山却主张去追那三个穿白袍的人,把那个女人抢回来。双方争论了好久,最后决定下来,先到东边去打猎,等几天再到阿拉伯人村落去。反正大猿的生活是不计日期的,泰山也不记得琴恩是自己的妻子,因此也不着急,就随了众议。泰山觉得自己还带着伤,要和阿拉伯人交手,最好还是等伤好了之后。这样一想,他就无牵无挂地混在大猿群中了。

这时可苦了琴恩,她重新被关进茅屋,手脚又被捆住,根本想不出办法逃脱,看到泰山受了枪伤,心里非常难过,放心不下。她哪里知道,她的泰山已经失去记忆,根本没认出她来,这时正兴高采烈地跟着大猿在打猎呢!这时的泰山只觉得跟大猿在一起自由自在很快乐,一点也不记得几个月之前,在伦敦著名的夜总会里,他曾和朋友们举杯共饮,谈笑风生。

泰山和大猿们在一起尽管很逍遥自在,心里却总有一种隐约的不安,仿佛冥冥中有什么在警告他,谴责他不该留恋丛林中的游猎生活,不该安于与大猿为伴。他自己也觉得应该赶快去追赶阿拉伯人,救回那天被他们抓走的女子,虽然他不认识她,但觉得这好像是他应尽的责任。

这时的泰山心智懵懂,像童年时一样,把自己看成是大猿,把琴恩也看成是同类。他朦胧地觉得,这个不相识的女子该做自己的配偶。自从在茅屋里闻到她的气味,一直到在空场上见到她本人,说不清为什么,对她的留恋之情越来越强烈,他一心想去把她抢回来。泰山还想,偷他五彩石子的人既然死了,他又是从阿拉伯人的村子里逃出来的,那么,那袋美丽的石子也许还留在村中,这个想法也吸引着泰山,让他觉得非到阿拉伯人村子里去不可。他总想先把这两件事做完,然后再安安心心地和大猿们一起打猎,这比现在心里悬着事情要好得多。

泰山把自己的想法和人猿们商量了,大家都不愿意跟他一起去。群猿之中只有两个愿意陪他一同去,这两只大猿都是比较健壮的,一只叫塔格来特,另外一只叫却克。却克要更年轻力壮些,而且也很聪明。这两只大猿虽然也知道跟泰山到阿拉伯人村寨去是冒险,但它们还是很乐于参加。但如果泰山知道了塔格来特是怎么想的,是一定不会要它同去的。

塔格来特算是上了点年纪,仍旧十分强悍,生活经验也丰富,性格和同伴却克不同,比较刁滑。它单凭高大狰狞的外表,就足以使弱小的敌人望而生畏,正因为他有这一特点,泰山以为它能成为自己的一个好助手。

丛林中的动物,大猿和人类是比较接近的,往好处说是比其他动物聪慧,往坏处说则是满腹心机。只因为泰山和这群大猿相处的时间还不长,所以还没发现塔格来特的品性。它看泰山在大猿群中这几天,待群猿宽厚和善,同伴们也很服从泰山,已经存了嫉妒之心,只是见泰山有指挥若定的风范,它才不敢发作。泰山一向是个坦诚的人,他根本不会料到这两个人猿之中有一个居然存心不善,就高高兴兴带着两个人猿往阿奇米特的村寨走去。途中,他任凭两个人猿随意打猎。

从丛林到阿奇米特的村子有几天的路程。在这一路上,泰山是颇费了点心思的,因为大猿对什么事都好奇,很容易受外界事物的吸引,一会儿想做这个,一会儿又想干那个。阿拉伯人村落离这里较远,难保它们不会中途停留下来,所以泰山费尽心思、想方设法维持住它们去阿拉伯人村子的热情。

却克一开始时很起劲,仿佛阿奇米特的村子近在眼前,它飞也似的往前跑,泰山也劝阻不了它。但没几个小时,它似乎有点饿了,想停下来吃点什么。正好这时路旁倒着一棵树,它知道朽木底下必有肥美的昆虫,于是停下来,翻过朽树,全神贯注地找起来,抠到一个吃掉一个,吃得津津有味。泰山开始还没察觉,因为它们两个时前时后,也没注意。偶尔一回头,不见了却克,只好沿原路返回去找，见它吃得正起劲，只好在一边等。可刚找到却克，一转眼塔格来特又不见了，找了一阵，才在一个僻静的地方找到了它。原来搭格来特捉到了一只野鼠，正像猫逗弄老鼠一样在玩耍呢。

它们一路上就这样闹着、耽搁着，自然走得很慢，但泰山始终耐着性子，哄着它们。若不是泰山费尽了唇舌，告诉它们阿奇米特的村子里好吃的东西如何如何丰富，有好多种它们根本没有尝过，却克早就不高兴去了。

这一天中午特别炎热，泰山和两个大猿都闻到了一股阿拉伯人的气味，知道目的地就快要到了。于是他们格外小心，跳上树去，在浓密的枝叶间轻手轻脚地前进。泰山在前面领路，他的棕色皮肤被中午的烈日照射着，汗下如雨。在他后面的却克和塔格来特满身的长毛也被热汗粘在了一起，显得格外难看。

最后，他们溜到栅栏外的空场边，泰山选了一株靠近栅栏的大树，用手势告诉两个大猿上树，找一个较低的枝叶浓密处观察村子里的情况。这时，有一个穿白袍的阿拉伯人骑着马从栅栏里出来，泰山低声叮嘱却克和塔格来特就待在这里不要动，自己却像猴子一样从树上去追那阿拉伯人了。泰山从这株树跳到那株树，又轻又快，像松鼠一样，那阿拉伯人当然一点也不知道有人在追他。

阿拉伯人似乎并不着急，慢慢地策马向前走着，泰山看准了他要前进的方向，就先抄近路到要道口的树上去等他。恰巧有一根横枝伸到路面上，泰山就藏身在叶子浓密的地方。那骑马的阿拉伯人神态非常从容，嘴里还哼着北部沙漠流行的歌曲，缓缓走近。泰山在树上作好了伏击的准备。这时的泰山简直和一头野兽没什么两样，如果现在有人看到他，谁也不会认为，就在几个月之前，他还是伦敦上议院的一位知名议员呢。

等骑马的阿拉伯人走到泰山藏身的树下时，泰山便从上面跳下来，那马猛吃一惊，照直往前奔去，泰山眼疾手快，一把将那人从马背上拖下来，拖到丛林里去了。十几分钟后，泰山挟着一件阿拉伯人的白袍，拿来给却克和塔格来特看，又把自己进村的计划向它们说了一遍。却克和塔格来特接过衣服来，闻了一下，又放在耳边听了听，没有任何表示。

泰山又领两个大猿进了丛林，三个都埋伏在小道边等待着。过了一会儿，果然有两个阿奇米特村里的人，也穿着白袍，说说笑笑地走过来了。泰山领着两个大猿一同蹿出来，没费多大力气就结果了他们的性命。泰山剥下他们的衣服，叫两个大猿穿上，自己也把另一件白袍披在身上，然后这三个穿白袍的假阿拉伯人找到一处僻静的树丛坐下来。

等到天黑，他们又来到栅栏外的树上，观察村里的动静。泰山遥遥望见一间茅屋前有两个黑人站在那里值班，不像前一次是坐着的。他又望了望阿奇米特的帐篷，心想那袋石子既不在沃泊尔的尸体上，多半就在阿奇米特手里。他准备看清了路径，一会儿就采取行动。

却克和塔格来特平生第一次穿上衣服，又摸又闻，觉得非常新奇好玩。却克是个年轻而顽皮的大猿，它伸出前爪，揪住塔格来特的头巾往下一扯，衣服正好遮住了塔格来特的眼睛，这样一来，塔格来特倒像个生了病的阿拉伯人。塔格来特的脾气本来就有点孤僻,不大习惯开玩笑的,它认为却克的爪子抓到它身上,不外两种目的:不是善意地要替他捉虱子,就是恶意地要向它挑战。现在它闻到有白猿气味的东西蒙到它头上,觉得怪难受,于是恼怒地低声咆哮起来,就要去抓却克的喉咙。泰山怕声音大了被村里人发现,赶快调解,三个在树上闹了好一阵,有好几次都几乎掉下去,泰山连哄带吓,费了好大劲才把两个大猿分开。

大猿和人不一样,两个不管闹得多凶,只要一会儿工夫,就又可以和好如初了。泰山是懂得大猿这个特点的,他知道如果硬要去约束它们,不但收不到效果,反而会把乱子闹得更大。泰山哄它们说,只要时机一到,就可以到阿拉伯人村子里去饱餐一顿。

泰山为了稳妥起见,天黑之后,又等了好一阵,才领着两只大猿跳下地来,绕到村旁的栅栏边。泰山撩起长袍的下襟,挟在腋下,使它不致妨碍自己跳越栅栏,然后耸身一跳,先一步跃上栅栏顶。他生怕却克和塔格来特跳上来时会撕毁衣裳,于是叮嘱它俩待在栅栏外不要动,由自己把它们拉上去。泰山在栅栏顶站稳了脚,把长矛的一端伸下来,先把却克拉了上来,然后是塔格来特。一人两兽顺着栅栏爬下来,悄悄地进到村子里面。

泰山领着它俩避开村里的人,走到囚禁女子的茅屋后面。却克和塔格来特跟着泰山在墙壁上嗅着,大家都闻到了女人的气味。

却克对于这件事很淡漠,它知道这女人是泰山要找的人,似乎理应属于泰山,它只求做成这件事之后把村子里好吃的东西给它,就心满意足了。却克牢牢记着的是:泰山这一路上多次告诉它,村子里的食物非常美味,而且非常丰富,足够它们吃好多好多日子的。但是塔格来特却和却克不一样,它心里怀着鬼胎,它不时闭起眼睛来沉思一会儿,又伸出舌头舔舔上嘴唇,还忍不住低低地咆哮一声。泰山的注意力都集中在茅屋里,没有注意到它这些反常举动。

泰山已能断定要找的女人就在茅屋内,很容易就可以把她救出来。他想不必要在这儿多耽搁时间,不如先去找回石子,免得拖着一个女人行动起来不便。于是就带着却克和塔格来特朝阿奇米特的帐篷走去。在路上曾碰到一个阿拉伯人和两个黑人,黑暗中泰山和两个人猿穿着白袍,没引起他们的注意。他们走到阿奇米特的帐篷外,泰山侧耳听了听,阿奇米特正和他的几个部下聊天呢。

十七
身陷绝境

沃泊尔被拘禁在门尼勒克的军营里，暗想若是到了埃塞俄比亚，被他们查出自己是阿奇米特的党羽就十分危险了，不如找个机会逃走为好。可是门尼勒克的部下自从莫干壁逃走之后对他看管很严，唯恐他也逃跑，所以沃泊尔一直找不到机会。有几次，沃泊尔设想用宝石去贿赂门尼勒克，要求他放了自己，但他始终没敢这样做。沃泊尔明白自己的处境非常危险，不能不多加小心，倘若门尼勒克知道自己有这么多宝石，也许反而会招来杀身之祸。

沃泊尔盘算了很长时候，最后，他到底想出了一个自认为是万全之策的主意，既可以不失去宝石，说不定又能取得自由，门尼勒克还可以大大发一笔财。一天，他看准了看管他的这几个军士为人还和气，就试探着和他们商量，要求见一见门尼勒克，说自己有重要的话要说。门尼勒克虽然猜不出这鬼头鬼脑的人要说什么，但还是接见了他。门尼勒克脸色严峻，沃泊尔偷眼看了看他，心里凉了半截，只好壮着胆子试一试。沃泊尔自己是个见钱眼开的人，他认为别人也都是这样，俗话说钱能通神，自己决不能放过这一次获取自由的机会。他忐忑不安，心跳得很厉害，一时不知道怎样开口好。

门尼勒克两眼紧盯着他,冷冷地问:"你到底要说什么?"

沃泊尔鼓足了勇气,开门见山地说:"我想请求你恢复我的自由。"

门尼勒克听了,冷笑着说:"你就是为这事来打扰我吗?真是痴人说梦!你要知道,我是无论如何也不会同意放了你的。"

沃泊尔试探着说:"我不是让你白白放我,我可以赎身的。"

这次,门尼勒克大笑起来,笑够了,才说:"可以赎身?你有什么东西可以赎身?就是你身上穿的这套破衣服吗?也许,你的破衣服里藏着几千镑卖象牙的钱?浑蛋!你给我滚出去!不然,我就要命令他们用鞭子抽你了!"

但沃泊尔并没有被吓住,他知道自己的王牌还没有摊出来呢,不能就此认输,仍赔着笑脸说:"长官!你别着急呀,我的话还没说完呢。假如我能给你十个人才能搬得动的黄金,你肯送我到最近的英国军营里去吗?"

这下,门尼勒克愣住了,他半信半疑地问:"十个人才能搬得动的黄金?你是不是有点神经不正常?你上哪儿去弄这许多黄金?"

沃泊尔说:"我知道黄金埋藏的地点,因为我是亲眼看着一群黑人把它埋下去的。你如果肯恢复我的自由,我可以领你到埋黄金的地方去,黄金多得很,也许十个人还搬不完呢。"

门尼勒克这时才真的开始认真起来,他看了看沃泊尔,见他头脑清醒,说话有条理,不像是在发神经病,但总还是无法完全相信。在这非洲荒野里,哪里会有十个人都搬不完的金子呢?他沉吟了好久,才说:"你如果真能让我得到这么多黄金,我可以答应给你自由。不过,你要放明白些,你如果欺骗我,要弄了我的军士们,我可是要枪毙你的!"

沃泊尔说:"我敢发誓一定有,我领你们去,向南走,要走一个星期的路程。"

门尼勒克还不放心,又叮着问了一句:"那么,你可是拿你的生命做担保了?军队里可是没有戏言的!"

沃泊尔说:"如果我说的不是实话,你可以杀了我。我确切地知道那个地方,我看着黑人埋下去的,因为当时只有我一个人,所以我没敢动。我敢担保十个人搬不动,恐怕要五十个人才能搬完呢。你刚才说过,军中无戏言,你得到金子之后,你可也要遵守诺言,把我安全地送到英国军营去。"

门尼勒克点点头说:"很好,我会实践我的诺言的,只要有五十个人才能搬得动的黄金。但是,黄金没有到我的手之前,你还是我的俘虏。"

沃泊尔说:"我们明天就出发,好吗?"

门尼勒克点头表示同意,沃泊尔仍回他的帐篷去当俘虏。第二天早晨起来,埃塞俄比亚的军士们还没有人知道这件事,门尼勒克忽然下令,军队开拔到南方去,大家都觉得突如其来,不知道有什么任务。

在泰山领着两个大猿去阿拉伯人村子的那天晚上,埃塞俄比亚的军队就驻扎在村东几里之外。这一夜,沃泊尔睡得特别安稳,他梦见自己恢复了自由,凭着宝石变成了富人,灯红酒绿,穿行在贵妇人中,她们都向他含笑点头,他乐得几乎忘了自己是谁。这一夜，可以说他享尽了快乐，可他哪里知道，事情并不像他想得那样顺利。

与此同时，阿奇米特也在盘算着怎样去搬运黄金，他在自己的帐篷里正召集心腹部下开会。他们决定立即到南方泰山庄园的遗址去，把那儿埋着的黄金挖出来。他吩咐手下多带些有力气的黑人脚夫。泰山藏身在帐篷外，他们的话他都听到了，但却不知道他们说的黄金应该是属于自己的。他只想等夜深人静之后，进帐篷去搜寻装着美丽石子的那个钱袋。会开完之后，阿奇米特也跟着部下走出了自己的帐篷，到一个军士的帐篷中去，边叼着烟斗抽烟，边和部下聊天。泰山趁帐篷中没人，拔出猎刀，在篷布边上割了一个大洞，钻了进去。

泰山进了帐篷以后，却克也跟着爬了进去，塔格来特却没有跟进来，它在黑暗中溜到囚禁琴恩的茅屋处去了。它这次跟泰山来的目的，就是想独自劫走这个母白猿。它走近茅屋时，门口那两个值班的黑人正在聊天。琴恩在茅屋里被捆绑着，躺在地上不能动弹，一心祈盼泰山来救她。

塔格来特穿着白袍，扮成阿拉伯人模样，本来可以大摇大摆地走进去的，但它毕竟是猿类，在这人多的地方未免胆怯。于是它藏在黑影里，伏在地上爬过去。爬到茅屋的拐角处，离值班的人只有几步路的地方，它更加害怕起来，它最怕人类用枪射击，所以它想找一个较安全的方法，上到屋顶去。它向周围看了看，近处没有树，不然，突然从树上跳下去，一定可以杀死那两个值班的人。它抬头向上看了看，一眼看见了屋檐恰巧就在头上，如果从屋檐上跳下去，趁值班的人冷不防，先咬死一个，剩下一个就好对付了。

于是塔格来特站起来，退后几步，撩起长袍，飞也似的奔过去，耸身一跳，就上了屋顶。那屋顶上盖的都是茅草，经不住它身体的重量，刚走了几步，屋顶坍陷，它就身不由己地直栽了下去。原来，非洲土著人的茅屋是没有梁的，塔格来特身体笨重，一下子就栽到茅屋里边去了。

值班的人突然听到屋顶坍塌的声音，急忙进到茅屋里去。琴恩在屋里也听到了屋顶上的声音，她正想从地上滚开一点，躲开掉下来的东西，哪知已经来不及，她的一条腿被塔格来特压住了。塔格来特也觉察到身边似乎有个人，估计就是泰山要找的那个女人，于是俯下身去把她抱了起来。因为有白袍遮盖着，琴恩没发觉它身上有毛，当然更想不到它会是大猿，还以为来救她的人是她日夜盼望的泰山呢。

两个值班的黑人进到屋里，因为没有灯火，什么也看不见，只听见屋里有响动，一时也不敢轻举妄动。塔格来特站在那里，等着他们的进攻，这一瞬间，屋里倒什么声音都没有了。

塔格来特见对面两个人不冲过来，反倒有点心慌了。它想，如果和两个值班的人打起来，自己抱着一个人，施展不开会吃亏。于是它抱起琴恩，转守为攻，低着头直向门口冲去，两个值班的人没有提防，一齐被他撞倒。等他们爬起来追时，塔格来特早已顺着茅屋的阴影，一溜烟地跑到栅栏下了。

琴恩被塔格来特抱着，只觉得这个人力气很大，跑得也很快，心里暗喜，以为这一定是泰山。她想，他被阿奇米特的枪打中，大概只是受了伤，没有丧命，所以隔了这些天，到底来救自己了。在丛林里除了泰山，还有谁能这样有力而迅速呢？她叫着泰山的名字，抱着她的人却不回答。琴恩仍旧没有疑心，以为它在全神防范敌人，无暇和她答话。塔格来特抱着琴恩，跳过栅栏，一刻也不停留，飞身上树，奔向丛林中去了。琴恩从前被她丈夫抱着在树上飞奔过，她对现在的这种感受一点儿也不陌生，所以她深信救她的人是泰山。

塔格来特抱着琴恩走出一里多路，月亮已经升起来了，它实在累了，见后面没有人追来，便想歇一歇。于是它跳下树去，把琴恩放在地上，放得很重，琴恩有点奇怪，泰山从不这样重重地放她，于是她又唤着泰山的名字，想问问他到底是怎么了。塔格来特累得一身是汗，觉得白袍捂得它不舒服，于是一把将衣服扯了下来。琴恩这时才看清，救她的人原来不是泰山，竟是一头毛乎乎的大猿，她大叫一声，被吓昏了过去。这时树丛中正有一头饿狮，听到琴恩的叫声，目光灼灼，张着大嘴，准备扑将过来。

我们回头再说泰山，他钻进阿奇米特的帐篷，东翻西翻，什么地方都翻遍了，帐篷里的东西乱扔了一地，也没找到钱袋和石子。他想，一定是阿奇米特把它带在身上，不在帐篷里，不如先去救那个女子。

泰山领着却克又从原来的洞里爬了出来，直向囚禁琴恩的茅屋走去。因为他俩都穿着阿拉伯人的衣服，所以没有引起什么人的注意。他们进出阿奇米特的帐篷，都没有看见塔格来特，泰山以为它等得不耐烦了，说不定上哪儿找东西吃去了。泰山知道大猿是没有长性的，只要塔格来特不给自己添麻烦，就任凭它爱干什么就干什么。

泰山和却克走近茅屋时,见茅屋外面围着很多人,看得出他们非常惊慌,一定是出了什么事。泰山怕却克被人看出破绽,就叮咛却克到村子边上去等着,待他它在黑暗中走远了,泰山才大着胆子,从人丛中走到茅屋门口去。他只顾想听听到底出了什么事,却忘了自己手中还拿着长矛,背上还背着弓箭,阿拉伯人是从来不用这些武器的。因此,他刚挤到门口,就引起别人的注意了。有一个阿拉伯人走上前来,抓住他的肩膀问:"你是谁?"那人说着就伸手去揪泰山的头巾。

泰山现在是大猿的心态,当然按照大猿的习惯来自卫,绝不肯接受别人的盘问。他并不答话,一伸手就抓住那人的脖子,把对方提起来左右挥舞,门口的人忙不迭地往两边躲,泰山抓住这个空子冲进了茅屋。他东找西找,没有找到那个女子,却闻出有塔格来特的气味,明白那女子多半被塔格来特劫走了。这时泰山喉中发出一声极为愤怒的咆哮声。门口的人原想一齐冲进去把泰山捉住,但听到这声咆哮都害怕起来,在门外倒退几步,站在原地不敢动了。刚才,他们明明看见进去的是一个人,现在里面怎么有野兽的吼声呢?

泰山视觉灵敏,已经发现屋顶上有个窟窿,估计塔格来特不是从这里进来,也一定是从这里出去的。他趁阿拉伯人还没敢进来,敏捷地从窟窿里跳了出去,从茅屋后面下了地。

一群阿拉伯人呆站在外面,听见屋里好久没有声音了,才渐渐鼓起勇气,举起来复枪,朝屋里放了一阵,听听还是没有声音,这才一窝蜂地拥进去,屋子里已经什么都没有了。等他们发现屋顶上的大窟窿,才明白女俘房被什么人或动物劫走了,赶紧去报

人猿泰山·奥泊城的珍宝　　133

告阿奇米特。泰山回到预定的地点去找却克，又找不到了。他越想越气，他想找的女子多半是被塔格来特这个畜生劫去了，却克又丢下他，那袋美丽的石子也没有找到，自己哄着这两个大猿一路辛苦，到头来只是白跑一趟。于是他匆匆出村，赶快先去追塔格来特。

他一路上寻着塔格来特的足迹，由于又匆忙又气恼，竟有一段迷了路，兜了一个大圈子。

却克本来是听了泰山的吩咐在栅栏外等候的，听到村里响起了炒豆般的枪声，便吓得逃走了。大猿最害怕人类的枪，它一听到枪声，就再顾不得同伴，一路咒骂着，向丛林里逃去。

泰山追赶塔格来特跑得极快，在淡淡的月光下，从这棵树荡到那棵树，由于塔格来特负重，追起来比较容易，相差不过半里路，眼看就要追上了，可惜风向不对，泰山追错了路，跑到一条岔路上去了。

十八
抢夺珠宝

泰山一直追到天色大亮,才知道走错了路,虽然窝了一肚子火,可他并不灰心。他打算吃点东西,休息一会儿再继续往前追。丛林虽然辽阔无边,可是对泰山来说,这算不了什么。任凭塔格来特逃得多远,泰山有丰富的丛林生活经验,有足够的体力,不愁追不到他。

这时泰山肚里正饿,恰好发现了一头鹿的足迹,于是循着足迹追去,大约半个小时之后,却看见那头鹿回转身来,向自己这个方向逃来。泰山想,鹿一定是发现了前边有敌人,但不知前面那个敌人是象、是狮、还是虎。泰山无暇去管这些,先杀了鹿,坐在树上大嚼美味的鹿肉,一面留心着鹿后面追来的是什么东西。

没过多久,就隐隐听到了马蹄声。在小道的拐角处,渐渐有一匹马露出来,马上骑着一个军官。在这军官身后,像一条线似的跟着很多骑兵。他们一个个从泰山藏身的树下过去,其中有一个是泰山认识的。泰山之所以没有马上跳下去捉他,是考虑到对方人多势众所以暂时不露声色。这一队人马原来就是门尼勒克率领的埃塞俄比亚军队,泰山认识的沃泊尔夹杂在队伍中,泰山相信没有看错,他就是偷了自己美丽的石子,尔后趁自己熟睡时逃跑了的那个人。

埃塞俄比亚军队向南面走，泰山在树上跟着他们，肩上还扛着尚未吃完的死鹿。泰山想，要追赶骑马的沃泊尔，就一定没工夫再去打猎。泰山知道不能性急，要在这一群持枪士兵中间劫持沃泊尔，只得跟着他们慢慢等机会。泰山跟着他们整整走了两天，才走到一座大山下的平原上。泰山记得这个地方就是沃泊尔偷自己钱袋的地方，心里似乎有点恍恍惚惚说不清的感觉。那些骑兵直向平原跑了过去。泰山这时躲在树丛中，悄无声息地跟在后面，队伍中竟没有一个人察觉。

他们到了泰山庄园被焚毁的废墟上，纷纷下马，开始挖掘泥土。泰山掩藏着身子，看他们到底要干什么。起初他以为他们要挖食物，因为大猿是有这种习惯的，总是把吃剩的东西储存在地下，等下次要吃时再去挖出来。泰山自从失去记忆之后，心里迷迷糊糊，把所有的人类都当成大猿，因此才会有这样的猜想。后来他又仿佛记起了一点什么，依稀记得一群黑人在这里埋过东西，他们是不是要挖黑人埋下去的东西呢？

他耐心地看着他们，渐渐地，看见他们把一块块污秽的黄色东西挖出来了，沃泊尔和那个军官模样的人看来又开心又得意。那军官督促着兵士们继续挖下去，不一会儿，很多块黄色的东西从泥土里挖出来了，泰山发现那些黄色的东西没沾泥土的地方还发着亮光，就这样一块块地堆在一边。那军官走上前去，看着，抚摸着，露出一种贪婪的、爱不释手的神情。

泰山看着这些黄色的东西，心里恍惚若有所动，他苦苦地回忆着，仿佛自己在哪里看到过这些东西。这一大堆黄色的东西到底是什么呢?为什么这群白猿都爱它?这些东西到底属于谁?他记得曾看到一群黑人埋这些东西,那么,按理说,该是属于黑人的了。沃泊尔既然偷过自己的钱袋,他带人来挖这些东西,也就难保不是又一次偷窃。想到这儿,泰山怒上心来,真想把那些黑人找回来,杀尽这批偷盗者,可惜自己不知道那些黑人的村落在哪里。

谁知就在他们快要挖完的时候,从树林中又出来了一队人马,穿过平原,也向挖东西的这个地点走来,而且来势汹汹。

门尼勒克非常机警,随时在留心着四周的情况,远处又来了一队人马,他是第一个发现的。他立刻命令部下作好战斗准备,一齐上马待命。因为在非洲这块荒僻的地方,遇到整队的人马,要等走近了,才能看清楚是敌人还是朋友。

沃泊尔也躲在队伍里面,跟他们一样作着战斗准备。当他看清了驰来的队伍时,吓得面如土色,浑身都战抖起来,他附在门尼勒克耳边,低声对他说:"来的就是盗匪头子阿奇米特·泽克和他的党羽,他们一定也是来挖黄金的。"

阿奇米特从远处就看到泰山庄园的废墟上围着许多人,高处还堆着许多黄色的东西,他眼尖,早已看出那就是金砖。他本来就怕有人抢在他前头,现在果然不出所料,这让他恼怒得几乎七窍生烟。他觉得近来的事都太不顺利了:第一是沃泊尔逃走,丢失了本应到手的宝石。接着琴恩又逃走了。现在,居然又有人在挖取他认为已是囊中之物的黄金!这不是让自己一无所得吗?发财梦被粉碎得干干净净,他眼中几乎要冒出火来了。

他无暇去问挖黄金的是些什么人,他明白,如果不用武力,对方是不会把黄金交给他的。他立刻命令部下准备好来复枪,大喊杀敌,以造声势。门尼勒克的军队也早已作了准备,瞄着敌人,先放了一排枪。阿奇米特队伍中前排的几个人立马倒地,但这并没有挫伤他们的士气,只见他们直扑上来,长枪、短枪、刀剑一齐上,看得出这是一批训练有素的亡命之徒,他们简直在拼命了。

在这场混战之中,阿奇米特眼快,在乱军之中看见了沃泊尔,于是分开众人,直向沃泊尔奔来。沃泊尔知道情况不妙,拨转马头,落荒而逃。阿奇米特报仇心切,宁可暂时放下夺取黄金的战斗,也要先追回沃泊尔身上的宝石。于是他命令另一个头目在这里指挥作战,自己把马狠抽一鞭,越过平原,追赶沃泊尔去了。这时候双方的战斗非常激烈,为了取得那堆金砖,谁也不肯退让。

泰山在树上观战,看得十分清楚。看见沃泊尔被一个敌方首领追着,冲破重围逃了出去,自己藏身的这棵树下却被双方兵士密密匝匝地围住,正打得激烈,一时竟没有办法去追赶沃泊尔。

双方谁胜谁负,泰山早已给他们作出了判断。埃塞俄比亚的军队孤军作战,很难抵挡得住阿拉伯人,阿奇米特的部下剽悍凶猛,长于运动作战,越战越勇,士气很高,门尼勒克的军队几乎要全军覆没了。泰山也等得不耐烦起来,他只希望尽早脱身去追赶沃泊尔。

泰山总以为沃泊尔被野兽咬死了,所以他刚看见他的时候还疑心是不是自己看错了,后来,足足跟踪了他两天,经过仔细辨认,才确信他就是沃泊尔。只是不知道那袋石子是否还在他身边,也不知那个被狮子咬死的人到底是谁。

泰山藏身的地方就是以前琴恩亲手培育出来的灌木丛,也是她引以为骄傲的地方。现在由于多日没有人修整、管理,已变得乱蓬蓬的。

一个埃塞俄比亚士兵和一个阿拉伯人正在他周围,骑着马捉对厮杀。开始,两个人还棋逢对手,不分胜负。渐渐地,阿拉伯人占了上风。后来,埃塞俄比亚士兵的马在离泰山不远的地方被灌木丛绊了一下,马失前蹄,那士兵慌忙中去拉缰绳,却被阿拉伯人一刀劈在他后脑勺上,这士兵向躲在灌木丛中的泰山跌去。失去控制的战马,恰好给泰山提供了一个逃出这个混乱战场的机会。就在这匹战马还没有从惊吓中回过神来的时候,一个半裸的壮汉突然从后面跳到它的背上,用他有力的双手极其熟练地牢牢抓住缰绳。那个刚刚杀死了对手的阿拉伯人被弄得莫名其妙了,明明刚才的对手死了,怎么眨眼之间,对面的马上又多出一个人呢?

不过,这阿拉伯人定睛一看,对手的确换了一个人,这人的手中没有弯刀,背上却背着长矛和弓箭。阿拉伯人从惊讶中回过神来,立刻挥动弯刀向泰山砍去,岂知泰山只一闪就躲过了,那把闪亮的带着血污的弯刀,并没有伤着泰山一丝毫发。就在这时,阿拉伯士兵发现对方的战马径直向自己冲来,紧接着,一条强劲有力的胳臂伸过来,抱住了他的腰。在他还没明白是怎么回事的时候,已经被泰山从马上扯下来,成了他手里的一块盾牌,那阿拉伯士兵身不由己地被挥舞着,直向混战中的伙伴和对手们冲去。当泰山杀开了一条血路之后,就将半死不活的阿拉伯士兵丢在地上,然后骑着夺来的战马,一溜烟地穿过平原,向对面丛林的边缘追去。

这一场血战大约打了一个小时，埃塞俄比亚的军士绝大多数战死了，只剩少数的残兵抱头鼠窜，向北方溃退而去，门尼勒克将军也在其中。

阿拉伯人得胜了，现在只等他们的领袖阿奇米特回来，就可以把埃塞俄比亚人挖出来的黄金搬运回村里去了。大家想起刚才那个英勇善战的神秘的半裸大汉，心里既觉得奇怪，又有点后怕。他到底是谁呢，他们虽都熟悉人猿泰山这个名字，但谁也没见过他，刚才那个人似乎从林中飞来，他究竟是泰山呢，还是森林中的大神？

他们等了阿奇米特半个多小时还不见回来，刚才见那个神秘的大汉也追了上去，深恐他们的领袖有什么闪失。他们商量了一下，其中一个人提议，与其在这里死等，不如到丛林中去找阿奇米特。全体阿拉伯人都表示赞成，于是一齐上了马。领头的那个人说："金子就放在这里吧！不会有人来偷的，埃塞俄比亚的军队都溃败了，逃远了，我们可以放心地走。"

一声呼哨，马蹄底下扬起一阵烟尘，这群阿拉伯人横过平原，直奔丛林里去。他们刚走，就有一队黑武士从河边芦苇丛中出来，向着那堆黄金走去。

沃泊尔比阿奇米特先到树林中，可是阿奇米特的马却比沃泊尔的好，两个人之间的距离越来越短。沃泊尔拼命打马向前飞跑，显然他的马已经筋疲力尽，可是由于他打得凶，还是不敢慢下来。后来，沃泊尔已经能听到背后阿奇米特的呼喊声了，他只是不理，用马刺狠狠踢着汗下如雨、鲜血淋漓的马肚子。往前走了约两百米，大道上横着一根倒下来的树，这本是丛林中常见的事物，一般情况下，马只要轻轻一跳就可以过去，但沃泊尔这匹马现在疲倦已极，腿都有些提不起来了，它的前蹄被枝干一绊，竟倒在了路上。

沃泊尔冷不防这一下，身体从马头上直飞出去，落到了几米开外。他立刻从地上爬起来，奔回到马身边，拖着缰绳，想要把马拉起来，但怎么也拖不动，于是他就躲在马的身后，举起来复枪对准阿奇米特射去。

阿奇米特的马中了一弹。阿奇米特反应也很快，他不等马倒下，立刻跳下来，站稳脚步，也藏身在马后，对沃泊尔还击。

两个人对射了一阵，虽然都是不错的射手，却没有一枪命中。这时候，泰山也赶到了。他听到断断续续的枪声，知道前边的两个人正在交手，觉得自己骑在马上目标太大，会有危险，于是从马上下来，只身跳到了树上。他循着枪声过去，但非常留心，以免误中流弹。不多一会儿，已经到了那两人的上方。他从树上看他俩射击，动作竟是一样熟练，都是躲在马后，等对方没有动静的时候，迅速抬起身来给对方一枪，然后迅速蹲下去，再装一颗子弹。

沃泊尔手里的子弹很少，他的枪是从死去的埃塞俄比亚兵士身上取来的，因为他是门尼勒克的俘虏，当然没有资格带枪。他眼看子弹就要用完，心里暗暗着急，想难道真要死在这个阿拉伯人手上吗？不！他不会那么甘心去死，他在转着脑筋。眼下，自己就要人财两空了，相比之下还是性命要紧，他想用贿赂的办法逃生，他知道阿奇米特贪财，估计这一手可能灵验。当他手里仅剩一颗子弹的时候,他就开始喊话了:"阿奇米特!你听着!我们俩如果就这样打下去,必然有一个人会送命,该死的是你还是我,那就要听天由命了。我知道你的心思,你之所以对我穷追不舍,完全是为了我身边这袋宝石,不是吗?我爱自己的生命和自由,要胜过宝石。既然如此,我们交换一下好不好?你拿走宝石,放我走,咱们各走各的路,不再打了,怎么样?现在,我把宝石袋放下,放在我的马背上,让你清清楚楚地看得见它,然后,你把枪也放在你的马背上,枪柄要对着我。这样,我先走开,让你来拿宝石,之后,你就放我一马,让我去逃生。你同不同意我这个办法?你没有什么不合算,宝石归你,我只要我的生命和自由。咱俩也总算相处过一段,处得还不错,你不见得拿到了宝石,还非要我的命不可吧?"

阿奇米特听了没有立刻回答,思索了好几分钟。其实,沃泊尔不知道,阿奇米特的子弹已经用完了。最后,阿奇米特粗声粗气地说:"放下你的宝石,滚你的!你敢背叛我私自逃跑,本该处死你,看在你交出宝石的分上,饶你一命。你看好了,现在枪柄对着你了。"

沃泊尔从腰间解下装宝石的袋子,一边摸着,还想搞点什么小动作。可阿奇米特已经站起身来,一双鹰一般的眼睛盯在他身上。沃泊尔知道,什么多余的动作都不能再做了,便乖乖地把钱袋放在马背上,站起来,举着枪,眼睛看着阿奇米特,慢慢退到树林里去了。

阿奇米特见他走远了,还没敢完全放心,他怕沃泊尔反悔,也怕沃泊尔在耍什么阴谋诡计,暗算自己。实际上,阿奇米特并没猜错，沃泊尔退到阿奇米特看不见的地方，躲在一株大树后面，从那里望过来，刚好看得见他的马和宝石袋，他举着来复枪，瞄准着，准备等阿奇米特走近拿宝石的时候，就用最后这颗子弹结果了他。阿奇米特自然也不是傻瓜，他也有防范，他提着长枪，绕开大路，转到树丛中，伏在地上，既轻且慢地爬向宝石袋，沃泊尔根本看不见他。

沃泊尔耐心地瞄准着，等了好半天，不见阿奇米特的动静，心里不免焦急起来。

突然，他看见一支长枪的尖端从灌木丛中伸出来，离那袋子只有几寸远了。他没料到阿奇米特会这么做，稍一迟疑，只见那枪尖往旁边一挑，钩住了革囊的带子，那只装满宝石的钱袋就随着枪尖缩进灌木丛里去了。阿奇米特的身体始终没露出来，若不是沃泊尔只剩下唯一的一颗子弹，他早已开枪了，现在他只好看着对手胜利而去。其实沃泊尔比阿奇米特狠，自己得了活命，却不想饶过阿奇米特。他之所以不敢追过来，是因为他并不知道阿奇米特枪里已经空了。

阿奇米特和沃泊尔两个人谁也不知道，此时此地，还有另外一个人，那就是泰山。泰山也看见那个钱袋了，他在树上居高临下地看着阿奇米特的一连串动作，泰山当然明白他的心思，于是在树上一直跟着他。

阿奇米特宝石到手，显得踌躇满志，他急于想看看宝石，便快步走进林子里，停住脚，舔了舔嘴唇，把一只手伸向袋口，另一只手打开了革囊的绳子。他把宝石倒出一些来，摊在手心里仔细看，他那贪婪的眼光一接触到手掌心里的宝石，脸色马上变了。

只听他大声骂了一句什么,把手里的石子向地上一扔,把口袋里所有的宝石统统倒出来,检视过后,全都扔到了地上。他简直气急败坏,脸都变了形,显得非常可怕。

在树上的泰山看着他这些动作,觉得很是纳闷,猜不出阿奇米特看了这些石子为什么会气成这副样子。他正在树上感到莫名其妙,只见阿奇米特丢下革囊,提起长枪,飞奔着去追沃泊尔了。

等阿奇米特走远了,泰山才从树上跳下来,捡起散在地上的石子一看,才明白阿奇米特为什么气成那样。原来,袋子里原先装的五光十色、光彩夺目的石子,都被沃泊尔换成了河中常见的粗糙圆石子。

十九
琴恩和野兽

莫干壁从埃塞俄比亚的军营中逃出来,怕有人追赶,放开脚步拼命跑。他尽拣人迹罕至的地方走,林中既没有水源,可吃的东西也很少。由于得不到足够的饮食,他非常疲倦,脚步都几乎拖不动了,但他还是勉强地支持了几天。到实在走不动的时候,莫干壁只好停下来,在林中搭一个窝棚,预备晚上安歇,窝棚搭在树上,以防万一有狮虎来袭击。其实据他这些天的观察,这里可猎食的小动物非常之少,估计狮虎之类也很少光顾这个地方。但自己手边没有武器,弓箭长矛一概没有,还是小心为好。白天,他强打起精神,挖些植物的根来充饥,努力寻找水源,以解决饮水的问题。

有一天他走得比往次远,无意间竟发现了一条大河,河边长着许多果树,附近也有些小动物在活动。他就找了一根粗树枝,做成一根较合手的木棒,准备打猎用。因为他知道从这里回瓦齐里村落去还有较远的路程,拖着疲惫的身体是绝对走不到的。他觉得这里食物和饮水都非常充足,于是决定在这里休养些天,等体力恢复了之后再上路。

于是他在靠河边的树上重新搭了一个舒适些的窝棚,四周用带刺的树枝围上，以防止猛兽或蛇的袭击。从此之后，他就白天打猎，晚上休息，虽然寂寞了些，倒也生活得很安全。

有一天，莫干壁照例出外打猎，经过一株大树旁时，树上有一只大猿目光灼灼地在瞧着他，莫干壁却没发现它。看着莫干壁杀死一只野兔，吃完了，准备回自己的棚屋去，那大猿就偷偷地跟着他。

这个大猿就是却克。它窥伺莫干壁倒没有恶意，只是出于好奇。自从泰山给它穿过阿拉伯人的白袍之后，引起了它模仿人类的欲望，那件白袍它觉得太长，穿起来妨碍行动，更妨碍爬树，因此早被它扔掉了。但它总想另外找一个能遮蔽身体的东西，虽然它找了好久都没找着，却始终没有死心。现在它看到了莫干壁，觉得这个黑猿的衣着倒很简单，身上只围着一块布，上面挂着一些发亮的装饰品，头巾上还插着一些五彩的羽毛。它歪着头欣赏了半天，觉得这种装束非常轻便，也比白袍好看得多。自己如果能有这么一身，倒真是称心如意，可以在树上树下自由行动，不像那件长袍子那样碍手碍脚。

却克还发现黑猿身上有一个革囊，挂在他的肩上，带子很长，一直拖到臀部。革囊上点缀着五彩的羽毛，非常好看。却克眼馋得很，一心想要得到它，心里打定主意，只要有机会就把它偷过来。它偷偷地跟了莫干壁许多天，终于有一天机会来了。莫干壁回到小棚屋里，肚子已经吃饱了，以为一切平安无事，太阳又晒得暖暖的，便舒舒服服地躺下来睡了。

一直在上面偷窥着的却克看到莫干壁确实睡熟了，便从树上轻轻跳下来，走到莫干壁身边，把他全身上下仔仔细细地打量了一番，觉得他身上的东西件件都可爱，没有一件是它不想要的。

即使黑猿被惊醒，却克也相信自己有足够的体力可以和他决一胜负。它都想推醒莫干壁，干脆和他决斗。但它前爪刚伸出去，马上又觉得害怕起来。这是丛林动物所共有的传统心理：它们怕人类，却克当然也不例外。这一胆怯，就只剩下偷窃这一个办法了。莫干壁围在腰里的布它当然拿不到手，只有那根打猎的木棒和使它垂涎的革囊是很容易拿到手的。革囊已经从莫干壁的肩膀上滑下来，落在了他的身边，拿走他丝毫不会觉察的。

却克偷到木棒和革囊便马上逃走了，它害怕莫干壁追来，所以跳上树，飞一般地逃跑了。原来大猿是群仗群胆，大猿越多，胆子越壮，若是单独一个，即便明明能做到的事，它也会胆怯。

莫干壁一觉醒来，发觉革囊不见了，树上树下找了个遍，可就是找不着，他觉得非常奇怪。他明明记得睡觉的时候是挂在身边的，现在忽然无影无踪了，他怀疑是不是真的遇了鬼，想到这里，他不禁打了个寒噤。

他在周围仔细察看，发现一些脚印，有点像是人的，他疑心是不是泰山来过了。但如果是泰山，他为什么不叫醒自己呢？这时他的体力和精神已基本恢复了，知道这里不是久留之地，便又做了一支打猎的木棒，朝着部落的方向大步流星地走去。

我们再回来说塔格来特，它脱下阿拉伯人的白袍，露出大猿的本来面目，琴恩一见吓得昏了过去。它本想咬开绑着琴恩的绳索，哪知后面出现了一头饿狮，慢慢地向他们逼近。

塔格来特背向着狮子，开始时并没有察觉，那只狮子伏在地上,眼看就要扑上来。塔格来特听到了背后的吼声,回头一看,吓得魂飞魄散,忙丢下琴恩,连头也不敢回,拔腿飞跑。哪知狮子偏喜欢追跑着的活物,它才跑了几步,狮子的前爪就已经搭上了它的肩头。

塔格来特一把抓住狮子的颈毛,用它的黄牙咬住狮子的咽喉,一边咬,一边咆哮着,咬得满嘴都是狮血狮毛。这两只猛兽都发威地咆哮起来,声音震动了整个丛林,吓得一般弱小的动物都没命地逃散。

毕竟狮子是兽中之王,体力也比大猿强得多,塔格来特把它咬急了,它伸出爪来向塔格来特的胸口猛力一拍,把塔格来特活活地拍死了。狮子见塔格来特全身都松开了,不再挣扎,于是站起来,向周围打量了一番,见四周没有其他的敌手,只是几步之外,有一个似乎已死了的女人躺在那里。狮子踏在塔格来特身上,发出一声胜利的狂吼。然后,它又向四周看了一眼,重新望了望琴恩,见她一动不动,又发出一声低吼。它的嘴张开着,涎水滴到了塔格来特的脸上。

狮子把身子伏在地上,慢慢地爬到了琴恩跟前。这时幸亏琴恩还没清醒,不知道狮子已经到她身边了,既听不见狮子闻她的声音,也觉察不到狮子可怕的嘴已经快要触到她的脸了。狮子闻了好久,见她没有动静,便用嘴拱着,把她翻了个身,想知道她究竟是死还是活,正在这万分危险的时候,林子里忽然传来一阵不知什么响声,从风中也吹来了一股气味。狮子唯恐有别的野兽来抢它的猎物大猿,所以离开琴恩,又走到大猿那边,蹲在那里大嚼起大猿的尸身来。

琴恩渐渐苏醒过来,一睁眼就看见了狮子,知道有危险,她没敢叫喊。狮子正在吃那大猿,到处弄得血淋淋的,离她只有五十尺左右。她被捆绑着,没有办法逃走,只好静静地等待机会。她想,狮子吃完大猿,很可能会转过身来对付自己。自己这样被绑着,即使不被狮子吃了,也会被其他野兽咬死,何况丛林中鬣狗极多。

她正焦急、恐惧地思索,忽然觉得手上的绳子没有原先捆得那样紧了,手腕也不像原先那样疼了,她一动,两只手中间的绳子竟是断的!她根本想不到这是塔格来特帮她咬断的,心里还好生奇怪。但是被松绑的喜悦在她心里只一瞬间就掠过了,马上又产生了近乎绝望的恐惧,狮子还在距她不远的地方,她向周围看了看,离她最近的树也在百尺之外,如果自己跳起来往树下跑,一定会引起狮子的注意。狮子的速度比自己快得多,自己一定跑不掉。那么,只好静静地等着,看有没有更好的机会和办法了。

她留心看着狮子,狮子背向着她,吃得正起劲,琴恩想试一试,便轻轻地向最近的那棵树滚去。她滚了几个翻身,屏住呼吸,偷眼看看狮子,狮子没有察觉到她这边的动静。于是她轻轻地、壮着胆子又滚了一段路,现在,只差几尺就可以成功了!

琴恩小心翼翼地继续滚过去,离树只有几步的距离。只要再近一点,她就可以放大胆子跳上树去,然后往高处爬,就安全了。哪知这一次,她才滚了一下,狮子便突然回过头来,两只眼睛直直地盯着她。她知道这是自己的生死关头,全身都被汗湿透了,躺在那里,动也不敢动一下。

过了好久,狮子见她不动,又去吃大猿肉了,但狮子两只耳朵似乎在听背后的动静。琴恩知道情况非常危险,不敢再耽搁时间,她决心拼死一搏。她才站起来,狮子就发觉了,它一跃而起,扑了过来。它和琴恩相距虽有五十尺,可是转眼之间就到了琴恩跟前。琴恩怕极了,用出平生最快的速度跳上树去,一只靴子却被狮子抓住了。一个人到了生死关头,不知从哪儿来的力量,琴恩拼命一挣,竟挣脱了狮爪。等狮子第二次再扑上来时,她已经安全地到了树上。狮子见琴恩居然从自己爪下逃脱,气得在树下来回走着,不停地咆哮。琴恩躲在树上,吓得全身发抖。最危险的关头算是过去了,她越想越后怕,觉得现在虽然从狮子爪下侥幸逃出了性命,可是丛林中野兽还多呢,要从这里走回瓦齐里部落去,不知道自己能不能逃过一次又一次的危险。

直到天黑狮子才走,接着又来了一群鬣狗,嚼着狮子吃剩的大猿肉。琴恩看得胆战心惊,根本不敢下树,只好在树上等待天明。

琴恩坐在一根横枝上,已经非常疲倦,不觉渐渐睡去。一觉醒来,已是红日东升。她看了看树下,没有狮子,也没有鬣狗的踪迹了,不远的地方,只有一堆大猿的白骨。她又饿又渴,从树上跳下来,看看前路茫茫,自己一个人连个栖身的地方都没有,只好向瓦齐里部落的方向走去,她希望能在途中遇到瓦齐里部落出来打猎的人,或遇到其他土著人的村落。

一直走到下午,她隐隐听到前面好像响了一下枪声。她站住静听,接着又是几声枪响,这次她听清了,确实是枪声,她觉得非常诧异。在这荒野的丛林里,有枪声必然有人,但不知是什么人,是能帮自己的呢还是敌人。她想,也许是阿拉伯人和瓦齐里人在开战，很难断定哪一方面会得胜，自己从这里走出去，又不知道接近哪一方的阵线，所以她不敢贸然行事。她又侧耳细听，似乎只有两三支来复枪在射击，并没有打排枪的声音，但她还是不敢再往前走，只好爬到树上去，等着看看事态的发展。

过了一会儿，枪声渐渐稀了，她隐隐听得有人在高声讲话，但听不清说的是什么，接着枪声就停止了，好像打枪的双方在那里商量什么条件。寂静了一段时间，又听见似乎有一个人在地上爬行，他对面的人似乎走开了，倒退到林中来了。不一会儿，琴恩就看见退到林子里的这个人了，她仔细辨认他的面貌，认出这个人就是朱利·弗立柯，就是前些日子曾到庄园上来做客的人。正想要喊他，只见他又很快地躲进路边的灌木丛中去了。琴恩猜想他可能在守候走过来的敌人，就没敢喊他，怕自己一叫他，反而会把他藏身的地方暴露给敌人。这时，一个阿拉伯人小心地追了过来。琴恩立即认出，这个人就是劫持过自己的阿奇米特。他并没有发觉弗立柯正在一株树后面，举着来复枪，在向他瞄准呢。阿奇米特站在路上，抬头向四周寻找，显然他是在找弗立柯，却不曾注意到身后，琴恩在树上专注地看着这两个人的动作。忽然，砰的一声，一阵白烟从弗立柯的枪口冒出来，这一枪打得真准，阿奇米特倒在地上，马上死了。

沃泊尔高兴极了，带着胜利的神情从灌木丛中走出来，心情刚一松弛，忽然听到有人叫他，倒把他吓了一大跳，抬头四顾，见琴恩从附近的树后满面笑容地向他跑过来，伸出双手，在向他祝贺胜利。

二十
再次被俘

现在的琴恩虽然衣衫褴褛、头发蓬乱,但在沃泊尔眼中,她仍是仪态万方。从琴恩这一方面来说,自己身处危难之中,而且又亲眼看见弗立柯杀死了自己的仇人,因此深信他是可靠的朋友,不会伤害自己,她希望他能帮助自己回到瓦齐里部落去。

沃泊尔在开始的一瞬间有些心虚,唯恐自己和阿奇米特的关系被琴恩觉察出来,现在看琴恩的动作和表情,似乎完全把自己当成了朋友,这才放下心来。琴恩把阿奇米特怎样带着大队人马,如何抢劫并焚毁庄园,以及在这以后自己所遇到的一件件事,都告诉了沃泊尔。其中还讲到她被劫到林中时,曾遇到丈夫泰山,泰山被阿奇米特一枪打倒了,自己至今不知他的生死和下落,说到这里,她忍不住落下泪来。

沃泊尔听了,装出一副非常同情的样子说:"听了你刚才告诉我的这些话,我非常吃惊,也非常悲痛,我素来知道这伙强盗做事像魔鬼一样狠,但我还是没有料到他会劫了夫人,烧了庄园。现在,这个恶魔总算被我打死了。"说到这里,他指了指阿奇米特的尸体说:"最近我还听说他率领部下干了一些坏事,瓦齐里族的部落被这些坏家伙糟踏得不成样子,多数人被他们杀死了,少数人逃到南方去了。阿奇米特的党羽已经占据了夫人原来住的地方。夫人现在如果回去,无异于自投罗网。"

沃泊尔这一番话,用意就在断了琴恩回瓦齐里部落的念头,他一边说,一边察言观色,见她沉吟不语,便又接着说:"照目前的情况看来,我为夫人打算,要脱离这个危险的境地,只有朝北走。我觉得,有一条道路是可行的,不知夫人愿意不愿意?不如趁阿拉伯村寨里的人还没发现阿奇米特的尸身之前,我们赶快离开这里,索性回阿奇米特的村寨去。"

琴恩听到这里,大惊失色地说:"怎么?弗立柯先生!你让我再回去?你方才说回瓦齐里村落是自投罗网,难道回阿奇米特的村寨不是自投罗网吗?他们可把我当俘虏看待啊!弗立柯先生!你不会是在开玩笑吧?"

沃泊尔笑了笑说:"夫人请不要着急,我的话还没说完呢!过去我不知道阿奇米特是大盗,只以为他们是普通的阿拉伯人,所以也在他们村里做过宾客,我和他的部下相处得很好。这一次我们到了那里,完全可以捏造一个阿奇米特的命令,就说他吩咐村里派人护送我们往北走。这样,我们一路上不就有人保护了吗?我觉得这是我们解决眼下危难处境的唯一妥善的办法。现在,我的枪里已经没有子弹了,如果只有我一个人护送夫人走,肯定很难闯过丛林里种种难关。如果夫人同意我的计划,我们应该赶快走了,这个地方常有野兽出没,停留下来是危险的。不过也请夫人相信我的计划是能成功的。现在请夫人稍等一会儿,我要从阿奇米特身上取回钱袋,并拿一些子弹,我们往北走,这些都是用得着的。"

沃泊尔说着,就又回到阿奇米特的尸身旁,子弹他自然是找不到了,他跪下来仔细找那个钱袋,但是别说那个装满了东西的革囊,就连空的革囊也没有找着,他觉得非常不可理解,难道有什么人来过吗?不然,革囊怎么会自己跑掉呢?沃泊尔站了起来,一直找到死马的旁边,还是什么也没找到。他只好失望地又走回琴恩身边来,对她说:"钱袋没找着,需要用钱的时候,我们只能另想办法了。我想,我们还是赶快走吧!趁阿奇米特的党羽们还没有追踪前来。"

琴恩想了想,也确实没有更好的办法,只好按照沃泊尔说的做了。她想庄园已经被烧了,自己已经无处可去,既然弗立柯真心保护自己,当然应该信赖他。于是她跟着沃泊尔往阿拉伯人村寨走去,虽然自己曾经在那里做过俘虏,可是为了今后的安全计,也不得不冒这个险了。

沃泊尔带着琴恩走了几天,这一天的下午,已经到了阿奇米特村外的空场上了,沃泊尔嘱咐琴恩在这里等一等,他和她商量说:"我先一个人去见他们,对他们撒个谎,就说知道你逃走了,特地把你追回来,交给阿奇米特。告诉他的部下,阿奇米特正和瓦齐里人激烈战斗,没有时间回来,特派我押着你回村来,请你务必和我配合。然后就假传阿奇米特的命令,派人送我们往北走,去找贩卖奴隶的头目,把夫人卖出去。只要他们一路护送我们,以后的事就由我来对付。"

从琴恩的内心来说,这样做她当然是不愿意的,但她也明白自己现在的处境,除此而外,也实在想不出更好的办法,也只得答应了。

沃泊尔见琴恩中了自己的圈套，心里暗暗高兴，便扶着琴恩往前走，走到村子门口，他大声喊开门。出来开门的人一见是这两个逃犯自己又回来了，不觉愣住了。因为村子里的人都知道，沃泊尔是自己逃走的，阿奇米特正下令缉拿他，现在竟自动送上门来，他怎么会这样大胆呢？阿拉伯人当然不会明白。

沃泊尔进村后，神情非常坦然，很快他就找到了阿奇米特临走时指令留在营地里负责警戒的默罕默德·贝德。沃泊尔一番大胆的花言巧语，竟然又赢得了贝德的信任，听他说得入情入理，又是带着女俘虏回来的，对他深信不疑。尽管在半个小时前，若是在丛林里单独遇见沃泊尔，他肯定会开枪打死他。

琴恩又被捆绑起来，重新囚禁在一间茅屋里。她还以为弗立柯真心援助她，不过是在阿拉伯人面前做做戏，所以听凭他们摆布，并不反抗。她想至多住上一两天，他们就会在弗立柯的指挥下护送她北上的。

她被捆绑着，阿拉伯人在她门口加了岗哨。沃泊尔在离开她之前，凑近她的耳朵说了许多哄骗的话，让她放心，她的安全都包在自己身上。把琴恩安顿好之后，他又钻到贝德的帐篷中和贝德没话找话，神聊海侃，心里却在打鼓，生怕外出的阿拉伯人发现了阿奇米特的尸体，说不定现在正扛着往回走呢。如果他们从阿奇米特的死状查出杀死他的是自己，那么，自己无论是在村子里或在村子外，都会十分危险。他也想到过是否逃走更好些，可是这些阿拉伯人比自己熟悉路径，若被他们捉回来，不用说，下场肯定是悲惨的。

他进到贝德的帐篷时，贝德正坐在毯子上，盘着腿在抽烟。

人猿泰山·奥泊城的珍宝　　155

见沃泊尔进去了,就招呼他说:"好啊!老兄!"

沃泊尔回答说:"好。"

沃泊尔看了看贝德,看他不打算再说什么,就也坐了下来,两个人沉默了好久。首先打破沉默的还是贝德,他问:"你和我的主人阿奇米特分手的时候,他还好吗?"

沃泊尔回答说:"他很好,纵横一生,再大的危险也能化险为夷。"

"这就好了。"贝德说着,又抽了几口烟。

接着,又是一段长时间的沉默。后来,沃泊尔突然直视着贝德问:"你怎么想起问阿奇米特来?假如有人告诉你他死了,你会怎么想?"沃泊尔想把事实真相慢慢透露给贝德,然后再想办法把贝德笼络过来,让他为自己所用,所以就这样大胆地试探着问他,想看看贝德做何反应。

贝德慢慢把眼睛眯成了一条线,侧过身来把沃泊尔细细打量了一阵,然而一字一句地说:"什么事都瞒不了我,沃泊尔!你欺骗阿奇米特,我的主人早就打算要你的命。我跟着阿奇米特已经多年了,我深知他的为人,我对他的了解甚至超过了他的亲人。他决不会宽恕你,他平生如果恨上了一个人,他会恨到底的。据我看,阿奇米特如果没有死,你决不会回来,我也了解你,你没这个胆量。从你刚才说的话里,也印证了我的看法。你不是说阿奇米特现在很好吗?还说他纵横'一生'。你这句话很有语病,你自己不觉得吗?你用了'一生'这个词,我看,你也不用瞒我了,我是他的部下,不是他的亲人,对他的死,我不会痛哭流涕的。你跟我明白地说吧!你为什么回来?回来想干什么?沃泊尔!我知道你有一袋宝石，随时都藏在身边，这件事，阿奇米特告诉过我，这袋东西现在还在你身边吗？要是还在，我可以陪你一同北上，只要你肯把那英国女人的卖身钱和宝石跟我平分，我保证真心实意地帮助你。你要放明白点，我也不是好惹的！"

贝德说这些话时，一直盯着沃泊尔的脸，两眼射出一种阴森森的光，还带着一脸老奸巨猾的狞笑。沃泊尔看了他这副神情，又是害怕又是高兴，高兴的是贝德对阿奇米特不像自己想象的那样忠心，他对主人的死讯既不表示惊奇，也没有悲戚的神色，从这一点看来，他将来肯定不会报复。害怕的是他怎么也知道宝石的事，如果把事情的真相全部告诉他，他一定不会相信，反而以为自己有意骗他，保不定会怎么对付自己，自己再想远走高飞都困难了。他想了一下，现在贝德既然也垂涎着这袋宝石，最好是将计就计，承认宝石还在自己身边，答应他平分的要求，等他上了钩，在半路上找个机会杀死他，然后逃走。沃泊尔打定主意之后，装出一副很诚恳的样子说："是的，你推测得不错，阿奇米特已经死了。我从这里跑出去之后，被埃塞俄比亚的军队捉住了，阿奇米特从北边过来，正碰见埃塞俄比亚的军队，就和他们打起来了，因为寡不敌众，不但阿奇米特阵亡了，他带去的人也全军覆没。黄金也被埃塞俄比亚的军队夺去了。我在乱军之中，侥幸逃脱。现在说不定埃塞俄比亚的军队会来进攻咱们这个村寨，因为我听他们说，几个月之前，阿奇米特曾带领队伍去侵扰过埃塞俄比亚的边境，因此埃塞俄比亚的军队是奉了他们国王的命令，来围剿阿奇米特的。假如我们不早点逃走，我们的命运也许会和阿奇米特一样！"

贝德神情专注地听着,他心里也明白,沃泊尔的话要打折扣来听,从这个人嘴里是很难掏出实话的,但可以借这个机会,将计就计离开村子北上。于是他对沃泊尔的话不再追究什么,只是又威胁了一句:"假如我护送你北上,你一定要把宝石的一半和那英国女人卖身钱的一半给我,这可是说定了的,你要敢变卦,可要小心自己的命!"

沃泊尔不假思索地说:"那是一定!君子一言,驷马难追!我怎么能说话不算话呢?"

贝德点点头说:"这样就好。我现在就去命令全村的人,叫他们作好一切准备,明天早晨就出发北上。"

他说完了这些话,就要离开帐篷。沃泊尔连忙拦住他说:

"别忙,别忙,等一会儿,让咱们从长计议一下,究竟带多少人走合适。依我看,要是把妇女和孩子都拖在一起走,行程必然缓慢,这样目标也大,很容易被埃塞俄比亚军队追上。我主张挑选一小队精锐武士,跟随我们往北走,对其他的人就说往西走,这样,即使埃塞俄比亚的军队追上来,问起我们的去向,后面的人也会告诉他们往西去了。这么一来,埃塞俄比亚的军队也许错追到西边去,永远也追不上我们。"

贝德听了他的话后,笑着说:"看不出你这条毒蛇倒真会出好主意。好吧,就照你说的去办。我去挑二十个人跟咱们一块走,出村之后,先往西走,老的小的一定跟不上咱们,等他们看不见咱们了,再悄悄改道往北走。"

沃泊尔说了一声:"好!"

第二天琴恩很早就醒了,其实进了村之后,她压根儿就没好好睡过。她听得茅屋外有脚步声,不多一会儿,就见弗立柯带着两个阿拉伯人一同进了茅屋,先替她松了绑绳,再扶她站起来,给了她一些干面包吃,之后就推着她到外面去。她望望弗立柯,用眼神在问他情况如何,弗立柯趁大家不注意的时候,轻轻对她说:"一切照原计划进行,可以完全放心。"琴恩心里才算安定下来。

全队武士都准备好了,扶琴恩上了马,大家一块儿出村,进了丛林,都向西走去。半个多小时以后,前边的人和后边的人已经拉开了距离,他们开始转向北走,同时加快了速度,放开马奔驰前进。一路上,沃泊尔有意不和琴恩说什么,免得引起别人怀疑。琴恩也很能谅解弗立柯,她以为他是在哄骗这些阿拉伯人,免得露出破绽。不过,见他和贝德总是十分亲密,心里又不免有点疑惑。

沃泊尔一路小心谨慎,唯恐有什么疑点落在贝德眼里,他故意不和琴恩说话,但他的心却一直放在琴恩身上。这一整天,他足足有一百次以上,斜着眼偷看琴恩的脸和她的全身上下。他越看越觉得她秀美无双,越看心里越痒痒,恨不得一下子把她占为己有。琴恩和贝德却不知道他揣着这样的花花心肠,否则,这一小队人恐怕在半路上就要闹得人仰马翻了。

沃泊尔原想宿营时趁黑夜刺死贝德,可是这个计划没能实现。因为那晚吃过饭之后,贝德提出单独睡,不愿和沃泊尔睡在一起。这样一来,沃泊尔只好另打主意了。

第二天在路上,贝德故意勒住马头,和琴恩并辔而行。他这还是第一次仔细看琴恩,以前只当她是个俘虏,从来没有留意过她,今天留心一看,才发现她真是天姿秀美。他是个做事谨慎小心的人,表面不动声色,心里却在暗暗打着算盘,该怎样才能把这女人弄到手。他想,阿奇米特已经死了,没人再敢压制他了,眼前碍事的只有一个沃泊尔,不过在贝德眼里,沃泊尔只是一个卑鄙的耶稣教徒。事情并不难办,只要杀了沃泊尔,连女人带宝石不都是自己的吗?他也算了一笔细账,如果卖了琴恩,他也能分到一笔巨款,但宝石却只能得一半。现在连女人带宝石全部得到,怎么算也是划得来的。于是他暗暗下了决心,杀死沃泊尔,女人归自己,宝石也归自己。

贝德又一次转过脸去看琴恩,真美啊!他几乎有点急不可耐了,恨不得早一点结果了沃泊尔的性命。他把马靠近琴恩问:"你可知道那个人准备把你带到哪里去吗?"

琴恩不语,只是点点头。

贝德见她如此,又进一步逼问:"这样说来,你是甘愿去做土耳其人或黑人的玩物了?"

琴恩听了,在马上把身子坐直,把脸转到一边去,不再理他。因为她现在深信沃泊尔,怕被眼前这个阿拉伯人识破什么,破坏他们原定的计划,所以她决定少说话。

贝德紧逼着又说:"假如你想脱离今天这个危险的处境,我默罕默德·贝德能够救你。"

说着,贝德就猛然伸出手去,紧紧地抓住了琴恩的右手。他虽然没有说什么太露骨的轻薄话,但那一脸猥亵的神情已经是掩盖不住了。

琴恩用力挣脱了他的手,大声骂道:"你这畜生!你要干什么?

你要再这样胡闹,我可要喊弗立柯先生了!"

贝德听了琴恩的话,仰天大笑了一阵,然后皱着眉头,用牙齿咬着下嘴唇,冷笑了一声说:"弗立柯先生?这里哪有什么弗立柯先生!那小子的名字叫阿伯特·沃泊尔。他是一个惯于扯谎的坏蛋,还是一个杀人的凶手。他在刚果的军队里杀死了他的长官,逃亡到阿奇米特的部落里来。就是他,领着人去劫掠、焚烧了你的庄园。他暗中跟踪你的丈夫,打算偷盗你丈夫的金子。他什么都对我说了,他假装保护你,骗你到北方去,把你卖给土耳其人做女仆或小老婆。傻瓜才会相信他,只有我贝德才能救得了你。"说完,他就催马往前走了,他相信自己这一席话足以让琴恩醒悟了。

琴恩听了他这一席话,愣了好一阵,她无法判断这两个人谁说的是真的,但她仔细回顾弗立柯的言行,感到确实有许多可疑之处。万一他真的心怀叵测,自己信了他的谎话,身入险境,前途实在难以预测。到了晚上,琴恩的帐篷被安排在当中,左右两边分别是贝德和沃泊尔的帐篷,帐篷前后都有人值班,不过这次琴恩却没有被捆绑起来。

琴恩呆坐在自己的帐篷门口,看着那些阿拉伯人忙这忙那,想着自己的心事。过了一会儿,有个黑人给她送晚饭来,菜肴倒是比较丰盛,有一份糕饼,一碟猴肉,一碟松鼠肉,还有一碟斑马肉。琴恩心里有事,当然没有胃口,只胡乱吃了一点,就停了手。她又坐到帐篷门口去,望着丛林那边的空场独自出神。在她的幻觉里,好像看见许多瓦齐里人正在那里谈谈笑笑,非常热闹。她仿佛看到一个身材高大、肩膀宽阔的男士,骑着高头大马,手里捧着鲜花,笑容可掬地向自己走来。这不是自己的丈夫泰山吗?她正想张开双臂迎上前去,可是一眨眼之间又什么都不见了。眼前仍旧是那几个阿拉伯人和黑人。她才明白过来,都是因为自己思念家乡、思念亲人用心太切,才产生了这样的幻觉。她悲悲切切地回到帐篷里面去,躺在铺着毯子的床上,低声啜泣起来。

琴恩也确实乏了,渐渐睡着了。在她刚刚睡熟的时候,有一个人走到琴恩的帐篷前面,那人凑到值班人耳边讲了几句什么,值班人点了点头,回自己的茅屋睡觉去了。那人又走到帐篷的后面,照样对值班人咬了咬耳朵,帐篷后面的值班人也走开了。那人轻轻地走近琴恩的帐篷,撩开门帘,走了进去。

二十一
逃入丛林

沃泊尔睡在自己的帐篷中,心里想着琴恩就睡在隔壁,不免胡思乱想,辗转反侧,怎么也睡不着。他又想起白天贝德对琴恩的举动,很有些不对劲,贝德对琴恩是不是也有非分之想呢?他越想越疑心,越想越不安,唯恐贝德趁着夜色摸到琴恩的帐篷里去。

他怕琴恩吃了贝德的亏,很想立刻去看看。沃泊尔以为泰山已经死了,近来琴恩对于自己也颇有信赖和依靠的意思,自己再着意保护她,巧妙地献些殷勤,或许她可以答应嫁给自己。他越想就越觉得像那么回事,心里甜丝丝的,做着一厢情愿的美梦。殊不料琴恩白天听了贝德说的话,对沃泊尔已心生怀疑。

沃泊尔怎么也睡不着了,索性一骨碌爬起来,穿上衣服,扣上子弹带,把手枪插在腰间,毫不迟疑地出了帐篷。只见琴恩的帐篷外面一个值班的人都没有,虽然有点蹊跷,但暗中也觉得这对自己倒是个方便,于是他壮起胆来,走进琴恩的帐篷去了。

他借着月光,向琴恩的帐篷里望了望,忽然看见琴恩床前竟站着一个人,俯下身去,正在低声向琴恩说着什么,琴恩则猛地一下从床上坐了起来。这时沃泊尔的眼睛已适应了夜色,黑暗中看出琴恩床前站着的是个男人，他已经猜出是贝德了，不禁怒从心上起，悄无声息地快步走上前去。那时琴恩也已看清来人是贝德，不禁发出一声惊叫，贝德听见她叫喊，怕惊醒了别人，情急之下，他一把抓住琴恩，用手掐住她的脖子，把她按倒在床上。

沃泊尔在贝德的后面把这一切都看得清清楚楚。他心里已经把琴恩视为自己所有了，岂能容忍贝德染指？他急忙奔过来，扑在贝德背上，双臂把他抱住。贝德当然也是个善于打斗的家伙，怎肯服输？沃泊尔从背后卡住了他的喉咙，贝德猛地一个转身，一掌打开沃泊尔，直起身来，和沃泊尔打起来。沃泊尔一拳打过去，正中贝德的面部，几乎把他打倒，要是沃泊尔紧接着再来一拳，贝德一定会倒下。可是沃泊尔失策了，他急于去拔手枪，谁知他越急越是拔不出来，倒给了贝德一个反击的好机会。

贝德抓住这个空隙，站稳了脚步，直向沃泊尔扑过来。沃泊尔没拔出枪来，照贝德脸上又是一拳，但这次贝德有了防备，他一闪身避开了。两个人你来我往，拳脚并用，琴恩坐在床上看着，不知道该怎么办才好。

沃泊尔几次想再拔手枪，但贝德始终不给他这个机会。贝德这次出来，只是想对琴恩动手动脚，根本没想到会打斗，所以没有带枪，可是长刀却是习惯性地随身带着的。他把长刀拔了出来，对沃泊尔喝道："信耶稣教的狗！今天我贝德手里这把刀非送你回老家不可，不给你点厉害尝尝，你不认得我贝德是谁，今天我就用这把刀，要把你的黑心挖出来！假如你也有你信奉的神，你该赶快祷告几句，以赎你的罪孽，再过几分钟，你的命就没了。"他说着，不等沃泊尔拔枪，就举起长刀，用足力气，向沃泊尔砍去。

沃泊尔也手疾眼快,早有准备,见贝德举刀扑过来,在黑暗中伸出一条腿去,贝德可没防备这一招,结结实实跌了一跤。等他爬起来时,沃泊尔已经把枪握在手里了。贝德冲过去想夺掉他手中的枪,还没来得及,就听见砰的一声,贝德应声倒在了琴恩的床前。

这一声枪响当然惊醒了各个帐篷里的人,黑人和阿拉伯人都跑了出来,寻找是哪里打的枪。沃泊尔也听到了从四面八方跑来的脚步声。

琴恩站了起来,走到沃泊尔跟前,对他说:"我的好朋友!我该怎么感谢你呢?你不知道,这个坏蛋刚才对我讲了许多你的坏话,他跑进我帐篷里来是不怀好意的。我差一点中了他的诡计。弗立柯先生!请你原谅我的轻信。现在事情更清楚了,你是个白种人,又是一位高贵的绅士,你决不会乘人之危,来欺侮一个孤立无援的白种女子的,是这样吗?"

沃泊尔见琴恩如此信赖他,不知该怎么说才好,一时倒有点手足无措起来。他看着她,不敢跟她握手,什么话也说不出来。琴恩看他这副样子,心里反而更感激他了。

帐篷外面,阿拉伯人在到处寻找枪声的来源。刚才被贝德打发回去的值班人疑心是琴恩的帐篷里发生了事情,准备到那儿去察看,他们又把刚才贝德打发他们走的情况向其他阿拉伯人说了,他们猜想可能是琴恩反抗贝德,所以贝德开了枪。

沃泊尔听到脚步声,知道阿拉伯人到这里来了,他想,必须要赶快应付才成,如果让他们看见贝德的尸体,知道自己这么个

人猿泰山·奥泊城的珍宝

异教徒杀死了他们的领导人,非送命不可。现在事情已经迫在眉睫了,其他的办法是来不及了,只有去阻止他们进来,于是他走到了帐篷外面去。他把手枪插回腰里,站在帐篷门口,看见那些已在向帐篷这边拥过来的阿拉伯人。他努力装出一脸笑容,举起手拦住他们说:"大家不要急,不要急!没什么大事,那女人反抗,贝德向她动了枪,她受了点伤,不至于死。你们不必进去了,回去睡觉吧!没事。我和贝德两个人,足够对付那女人了,用不着你们大家都来。"

说着,他又回到帐篷里面去了。那些阿拉伯人知道没发生什么战斗,又知道了开枪的原因,便纷纷回去了。

沃泊尔走进帐篷,看了看惊魂甫定的琴恩,他自己经过一场战斗,一阵紧张,下流的心思已暂时消除,只能赶紧想下一步该怎么办了。如果到了明天,全村的阿拉伯人不见贝德,一定会追究的,现在必须想出个妥善的处置办法来。沃泊尔到琴恩的帐篷里来,本来是居心不良的,可是听了琴恩刚才那几句又信赖又感激的话,也有一点良心发现了,自己破坏了琴恩的家庭和幸福,又出主意劫掠焚烧了她的庄园,不禁产生了几分负罪感。他想现在唯一的赎罪办法,只有尽自己的力量救琴恩出虎口。

这时,阿拉伯人都已经散去了,沃泊尔低着头,沉思不语,琴恩走过来,指着贝德的尸首问:"现在我们拿他怎么办?明天若被他们发现这家伙死了,恐怕你和我都难逃活命,得赶快想个办法呀!"

沃泊尔思考了好一阵,才向琴恩说:"我倒有一个办法,不过需要你有勇气帮助我,我一个人是办不成的。我知道你不是个胆小怯懦的女子,只是你肯帮我吗?"

琴恩非常坚决地说:"弗立柯先生!你是为了救我才杀他的,事到如今,我怎么能袖手旁观?你说吧!要我做什么?只要我们两个人能有一条生路,叫我做什么都成。"

沃泊尔说:"好!现在你就装成一个死人,我把你扛出去。见了巡夜的军士,就说贝德枪杀了你,让我把你埋到丛林里去。如果他们追问贝德为什么不自己去,我可以跟他们扯个谎,就说贝德心里很喜爱你,本想让你跟随他,你不肯,他才失手打死了你。现在贝德心里很难过,当然不愿意看到埋葬你,可夜里又不便叫别人,所以把这件事交给了我,这样,咱们俩就都能逃出去了。你看这办法成不成?"

琴恩忍不住笑了,说:"亏你想得出,让我装死人!刚才我在帐篷里听到你跟他们说我只受了点伤,不会致命,可是过了不多会儿又死了,军士如果不信怎么办?若认真检查起来,岂不露了破绽?"

沃泊尔说:"你不了解他们,当然会这样想,他们头脑都极简单,不会想得那么细。况且,他们都有一个怪习惯,就是对死人都躲得远远的,谁也不想细看。我估计这个办法一定能成,你不用担心。你只要装像点就行了,千万别动,也别出声。"

琴恩心里还是有点害怕,不禁打了一个寒战,说:"你认为这样做可以,那就不妨试一试,反正目前也没有更好的办法。可是,逃出去以后又怎么办呢?"

沃泊尔想了想说:"我先把你藏在丛林里,明天一早,我带两匹马来接你。"

琴恩又问:"贝德的尸体怎么处置呢?如果到不了明天早晨,在你离开这里之前,就被他们发现了,那可怎么办呢?"

沃泊尔想了想说:"眼下咱们要先顾活人,我只有先把你扛出去,至于贝德嘛,只好让他先躺在这里,暂时还顾不上他。如果把他拖出去,让人撞上了反而麻烦。你有胆量冒一下险吗?现在只好委屈你装装死人了。"

琴恩说:"好!就这么办。"

沃泊尔说:"等一下,我得去给你找把手枪和一些子弹来。"

说着他就出去了,不多一会儿便拿着手枪回来了,把枪连同围在腰里的子弹带一起交给琴恩,说:"你带好了,到了丛林里,这可是随时都用得着的。现在,你都准备好了吗?"

她回答说:"好了。"

沃泊尔走过来,跪在她的身边,叫她伏在他肩上,说:"好了,你要记住,你现在可是个死人了,你要让自己的四肢像死人一样无力地垂下来,若听见有人来了,你赶紧屏住呼吸,我自会跟他答话。"

都叮嘱完了,沃泊尔扛着琴恩走出了帐篷。

没走出多远,果然遇见一个巡夜的阿拉伯人,看到沃泊尔便大声喝问道:"什么人?你扛的什么东西?"

沃泊尔从容地把头巾往上一掀,露出脸来,高声回答说:"这是那个英国女人的尸体,贝德叫我扛到丛林里去埋掉。因为她不服从贝德,贝德失手把她打死了。贝德打死她之后,心里很难过,不忍心再看到埋葬她。刚才我劝了贝德好一阵,这不,他把埋葬这女人的事托给我了,我只好去辛苦一趟。"

琴恩装得活像一个死人,伏在沃泊尔身上,四肢下垂,沃泊尔和阿拉伯人的对话她听得清清楚楚,心里害怕得不得了,深恐阿拉伯人不信,万一上来检查可怎么办!她屏住呼吸,一动不动。只听诘问的那个阿拉伯人口吻已经变得和顺多了,问道:"你独自一个人去成吗?要不要我找个人去帮你?"听他的口气,他一点儿也没有怀疑。

沃泊尔赶紧回答他说:"不必,我一个人足够了。"

沃泊尔扛着琴恩进了丛林,到了一个地方把她放下来,琴恩刚要开口,沃泊尔马上阻止了她。他仔细把周围察看了一遍,确信没有别人,领着她又走了一段路,找到了一棵合适的大树,才停下来。他又问了她一遍,手枪和子弹是否都带好了,嘱咐她就躲在这株大树上的枝叶浓密处,不要下来。他低声对她说:"明天早晨我会来接你,我们一定可以平安脱身的。夫人!请放心吧!我们一定会脱险。"

琴恩低声回答他说:"谢谢你,弗立柯先生!你想得真周到,你也真勇敢。"

沃泊尔没回答什么,只是沉默着,幸亏丛林中是漆黑的,否则,他掩盖不住的愧疚神情一定会被琴恩看出来。都安排好之后,他又回村里去了。值夜的武士看见他进了自己的帐篷,却没注意到他又从帐篷的后面钻出来,走到原来囚禁琴恩的帐篷处,从帐篷底下钻了进去。这座帐篷的地上正躺着贝德的尸首。

沃泊尔把贝德的尸首从帐篷底下拖了出去,向四下看了看,见没有人,他便把尸体扛在肩上,飞奔到贝德的帐篷处,放下尸体,静静地听了一会儿,见四下里什么动静也没有,他就从帐篷底下把尸体拖进去,抱到床上,放到毯子上面。然后他又摸到了贝德的手枪,盖上衣服,一边咳一声,一边伸手进衣服朝贝德头部开了一枪,以便用咳声盖住枪声。做完这一切之后,他把衣服拿开,把手枪放在贝德的右手里,特意把食指摆成扣扳机的样子。看起来,贝德完全像是自杀的。

沃泊尔把这一切都摆弄好之后,又从帐篷底下钻出去,整理好自己的衣服,就大模大样回自己的帐篷去,倒在床上,拉过毯子来睡着了。

到了第二天早晨,他还在睡梦中,就听见一个平日侍奉贝德的奴隶奔进他的帐篷来,惊慌失措地叫道:"快!快!快!贝德死了!死在他自己的帐篷内,他自杀了!"

沃泊尔冷不防吃了一惊,马上从床上坐了起来,他以为事情败露了,脸上露出了一丝惊慌,但听了黑人的最后一句话,他又放下心来,马上答应道:"好!我就来!"

他边答应着边匆忙穿上衣服,走出帐篷向四周一看,已经有不少阿拉伯人和黑人从各自的帐篷中出来了,都往贝德的帐篷拥去。沃泊尔也跟着走进去,看见有许多人围在床边看,贝德的尸首已经僵了。

沃泊尔挤进去,走到尸体跟前,装出既惊讶又痛心的样子,摸了摸贝德的脉搏,又伸手到贝德的鼻子处试试他还有没有呼吸,然后大怒着转过身来,大声责问那群围观的人:"是你们谁干的这好事?谁这么大胆杀了贝德?"

这一来,弄得那群头脑简单的家伙都跳起来,直喊冤枉,他们一齐叫道:"我们之中谁能杀贝德呢?这不明摆着是自杀的吗?

大家看他的手,不是还在握着枪吗?"他们全都指着贝德手里的枪,仿佛那就是无可置疑的证据。

沃泊尔也看了看贝德拿着枪的手,装出恍然大悟的样子,又编了一通鬼话,说他昨夜隐约听见贝德用手枪威逼琴恩,想行非礼,琴恩拼命挣扎,他失手打死了她。自己还跑去看过,当时琴恩已经死了,贝德又懊悔又难过,自己还劝了他好一阵。后来贝德委托他去埋葬琴恩的尸首,说到这里,他还指出值夜的那个阿拉伯人出来作证,那人站出来说:"不错,昨夜我看到他扛着那个女人的尸首出去。"

沃泊尔接着说:"怎么想得到我走了之后他会干这样的事呢,我回来之后,也没再到他帐篷去看看,谁知他什么时候干了这蠢事!"从沃泊尔说话的神情和声音看,很像是真动了感情,一点儿也不像是装出来的。

沃泊尔亲自动手,把贝德的尸体用毯子裹了起来。捆扎的时候,沃泊尔有意把他身上的枪伤包在里面,让人看不出来。然后他指派了六个黑人,把尸体抬到帐篷外的空地上,挖了一个坑,就埋在那里了。安葬完毕,沃泊尔问大家今后有有什么打算。因为阿奇米特和贝德都死了,这群阿拉伯人已经群龙无首了,他们你看看我,我看看你,又商量了一阵,最后都表示愿意回北方自己的部落里去。沃泊尔于是照着他们的愿望作了安排,至于他自己,则打算到东方的海口,找船回国去。于是大家散了伙,各走各的路。

沃泊尔找了一匹马骑上,站在空场中间,目送着他们一个个走进丛林里去了,为了不惹起别人疑心,他不便在这种时候再拉上一匹马,心想只好让琴恩和自己合骑一匹马了。他觉得挣脱了这些阿拉伯人的羁绊,从此可以自由自在了,心里很是高兴。等到人们都走远了,他就策马来到林中,到昨夜琴恩躲着的大树下,用异常高兴的声调喊叫:"早安,夫人!"

他却没有听到回应,抬头向树上四处寻找,不见琴恩的影子。他大吃一惊,连忙跳下马来,爬上了树。树上也没有人,他又呼喊了一阵,始终听不见有人答应,琴恩竟不知到哪里去了。

二十二
恢复理智

泰山拾起圆石子一看,不再是原先那些五光十色、璀璨夺目的石子了,便不再装进钱袋,把它们都扔在了地上。他忽然记起了自己曾经看到过阿拉伯人和埃塞俄比亚人为了一堆黄色的长方形的东西而战斗。

可是他怎么也想不起来,那堆黄色的东西和那一袋美丽的石子跟自己有过什么关系。这到底是些什么东西?这些东西是从哪里来的?他拼命地回忆,可是想来想去,怎么也理不出个头绪来,这倒反而促使他非要弄清楚自己过去的历史不可。

想啊,想啊,不行!脑子里是一团乱麻,越想越糊涂,他失望地摇了摇头。但他不肯就此罢休,还在苦苦地思索着。渐渐地,有一些事情的影子在他记忆里浮现出来了。那是丛林中的一些情景,慢慢地越来越清楚了,有许多事件历历在目。每个事件中的主角一个个从自己的眼前飘过,都是他眼熟的,可就是一个也叫不出名字来。在这一群影子里,他忽然记起有一个女子,非常美丽,而且自己似乎也很熟悉她,可是她是谁呢?他怎么也想不起来。有一个模糊的影像无意中在他的脑子里浮现出来,好像这个女子常在埃塞俄比亚人堆黄色砖块的那个地方出出进进,但现在这块地方成了一片焦土,看起来是满目凄凉,似乎从前它不是这个样子的。泰山头上的伤快要好了,精神和记忆力在一步步地恢复。他又努力继续往下回忆。哦!不错,从前这里应该有许多房屋,似乎还有篱笆和树木……如果他再继续想下去,说不定会把过去的一切都想起来,可是,毕竟他的伤痛还没全好,今天他已经用脑过度了。突然,他觉得眼前一黑,刚才想起来的东西又像雾一样散掉了,留在脑子里的只是童年的记忆,自己是一个白人孩子,在丛林中和大猿群生活在一起,无忧无虑,逍遥自在。

泰山叹了一口气,摇摇头,过去明明还有一些事,怎么越努力想越想不起来了呢?他总觉得,他看见过的那一堆黄砖,那一片焦土,还有一个白种女人,跟自己过去的经历似乎都有着千丝万缕的联系。假如自己就守候在这里,或许能碰见那个白种女人,如果能和她谈一谈,向她询问一些情况,也许能帮助自己记起一点过去的事。泰山觉得自己这个想法很有道理,于是便把空革囊背在肩上,大步向平原走去。

走出树林,他碰见了那群去找阿奇米特的阿拉伯人,于是他又转身返回树林,跳上一棵树,躲在树顶上。等阿拉伯人走过去之后,他又跳下树来,向那片焦土走去。刚刚走到平原上,正巧遇见一群小羚羊,泰山也觉得肚子饿了,于是就杀死了一只羚羊来吃。这时大约正午刚过,他见别的羚羊都四散逃跑了,就安然地蹲在地上,饱餐了一顿羚羊肉。

天色渐渐晚了,他估计从这里到焦土的地方,顶多有半里多路,可以不必匆匆地往前赶。丛林中的动物原不像人类把时间看得那么宝贵,只要不被恐惧、愤怒、饥饿所驱使,是不肯耗费体力去赶路的。泰山因为疲倦，所以不想再走了，反正今天去和明天去，也没有什么多大的区别。于是他跳上一株大树，选了一个比较合适的地方，躺下去呼呼大睡起来。

第二天早晨醒来，泰山觉得非常口渴，于是就跳下树来，跑到河边去喝水，到了河边一看，一头狮子也低着头在喝水。它听见泰山的脚步声，就抬起头来，转头向后边一望，看见泰山也向河边走来，就发出了一声低低的威胁性的咆哮。泰山从狮子的声音中听出，它是吃饱了，咆哮只是示威而已，没有挑战的意味。于是泰山就改换了一个方向，到另一段河边去喝水，但没有停住脚步，这是在向狮子表示，自己也没有示弱。到了河边，他用手捧起水来喝，并不去理会那狮子。狮子始终注视着他，见他没有进犯的迹象，只是喝水而已，也就不再理他，低下头去，继续喝水。人和狮子，各不相扰。

狮子先喝足了，抬起头来，向河对岸的大道上出神地观望了一会儿。泰山也在留意观察这头狮子，觉得它生得十分壮美，披着一身褐色长毛，很有一种威武的气概。泰山虽然没有转过头去正面看狮子，但他眼角的余光已经瞄到，狮子两道黄绿色的目光此时又射到自己身上来了。它张着嘴，露出一口又长又锋利的牙齿，向泰山注视了一阵，最后低低地吼了一声，掉转身，朝芦苇丛中走去。泰山见它走了，便不再防范，放心地喝水了。

口渴的问题解决了，泰山还要想办法找点东西当早餐吃。他在河边寻觅着，找到了一些鸟蛋，这些蛋足够他一顿早餐了。他吃完之后，见阳光非常好，于是跳到河里，痛痛快快地洗了个澡，觉得浑身非常舒畅。然后他就循着河边，向昨天埃塞俄比亚军队和阿拉伯人打仗的那片焦土走去。当他走到那里的时候,他诧异地发现那堆黄砖已经不见了。剩下的只是遍地的马蹄印子和黑人的脚印,其他的什么也找不到了。他在想:那堆黄砖到底哪儿去了呢?是被埃塞俄比亚人拿走了,还是被黑人拿走了?它总不会自己长翅膀飞了吧?

泰山在这一片场地中又仔细看了一遍,也没看见有女人的足迹。他想:她跟黄砖有没有关系呢?黄砖不在了,她是不是也不会来了?若真是这样,自己岂不是白等?他越想越烦恼。近来,似乎事事都不顺心,什么五光十色的石子啦,似曾相识的女人啦,自己对往事的记忆啦,一件件都丢失得精光,他一筹莫展,心里十分懊恼。他在焦土上坐了一阵,心想总守在这里也不是个办法,于是打算回到丛林中去找却克。他想好了这个主意,就动身往丛林走去。他觉得在地上走太慢,就跳上树去,腾跳着向先前和却克分手的地方走去。泰山此时再没有别的想法,一心只想找到却克,似乎这就是他唯一的目的了。

泰山就这样走了两天,这两天之中,除了打猎、吃饭、喝水、睡觉之外,他始终没有停步,一直在树上奔走。到第三天的早晨,他远远地闻到一股气味,凭他的分辨力,判断出这是一股人和马的气味。他立即认定了方向,循着气味追了过去。追了没有多少时候,泰山看见一个人骑马向东走来。等那人渐渐走近,泰山仔细辨认他的面貌。哈!一点儿也不错,真是踏破铁鞋无觅处,得来全不费工夫!来人正是偷了他的五色石子后逃得无影无踪的沃泊尔。真是冤家路窄啊!泰山不觉勃然大怒起来,这次决不能放过他!

沃泊尔没有找到琴恩,非常失望,但他并不死心,还在继续找她。这时沃泊尔已在心里深深忏悔了,觉得自己过去的所作所为伤害了琴恩,今后不能再对不起她了。他一路上想方设法寻找着,唯恐琴恩遇到什么危险,所以他一边走一边低头思索着,并没发现树上有人在注意他。

当沃泊尔从一棵树下走过时,他忽然听到树上有声音,紧接着,一件很重的东西从头顶上压下来。他骑的马受了惊吓,照直向前蹿了过去。就在这一瞬间,他觉得有一条很有力的手臂拦腰把他抱住了,把他从马背上拖下来,重重地摔在地上。他猛地转身一看,正是他最害怕的泰山!泰山不容他起来,用膝盖把他抵住,一只手伸过去掐住沃泊尔的喉咙。沃泊尔又急又怕,连喊都喊不出声来了,只觉得一阵比一阵紧的窒息,他甚至感到自己快要死了。

泰山稍稍松了松手,问他:"那一袋美丽的石子呢?你把那美丽的石子放到哪儿去了?你凭什么拿我泰山的石子?"

泰山圆睁着眼睛,等着他回答,沃泊尔边缓气边咳嗽,挣扎了好一阵,才说出话来:"阿拉伯酋长阿奇米特,对,阿奇米特,从我身上把石子抢去了。他用枪逼着我,非要那革囊和石子。请你相信我,我说的都是真话。"

泰山怒喝道:"狗东西!你好大胆,事到如今,你还敢跟我扯谎!你说的那回事我是看见的,可是那革囊里装的,不是泰山原来的美丽放光的石子,而是河底的圆石子。那阿拉伯人也不要它,把它全部都扔在地上了。你心里明白,我要的是原来的石子!你把它弄哪儿去了?我找了你好久,今天你要不说实话,休想活命!"

沃泊尔急得叫起来:"我不知道!我真的不知道!我早给阿奇米特了,不然,他也不会让我活命的。哪知我刚给了他,没有几分钟的工夫,他又追过来要杀我,我出于自卫,才把他一枪打死。但那袋宝石,我在丛林里找了好久,始终也没找到。"

泰山愤怒至极,咆哮起来:"听我告诉你,那革囊我已经找到了,可只是一个空革囊,阿奇米特丢在地上的石子,我也仔细检查过了,那都不是泰山的原物。你到底把它们藏在哪儿了?快说出来,我可没有那么大的耐心,小心我要你的命!"

泰山把手又掐在沃泊尔的脖子上,手指上又开始用力。

沃泊尔又感到气短了,挥舞着双手,拼命挣扎着,挤出声音来说:"上帝啊!格雷斯托克爵士!你难道为了区区的一袋石子,就要掐死我吗?"

泰山听了他的喊叫,突然一惊,不禁喃喃自语地说:"格雷斯托克爵士,格雷斯托克爵士!谁是格雷斯托克爵士?这名字我从前仿佛听到过的,怎么这样熟?"

沃泊尔叫道:"你松开手,让我告诉你!你怎么还不明白?你就是格雷斯托克爵士呀!你忘了吗?你带了你部下的瓦齐里人,到一个什么城堡去搬金砖,恰巧遇到地震,你被崩塌的石块打伤了,失去了知觉。你就是约翰·克莱顿·格雷斯托克爵士!你难道一点儿也不记得了吗?"

"约翰·克莱顿·格雷斯托克!"泰山重复地念了几遍,又静静地想了好一会儿。他用手抚摸着前额,目光中渐渐露出了惊奇的神情。不错,自己前几天经过苦苦思索,过去的历史隐隐约约记起来了一点,现在沃泊尔明确地说出了自己的姓氏,刹那间,他陡然明白了。他直跳起来,大声喊道:"啊!天哪!琴恩!"他又回过身来问沃泊尔,"我的妻子是不是叫琴恩?她现在怎么样了?她在哪里?你知道我的庄园被抢掠一空,被烧成焦土。现在我明白了,这一件件事都有你的功劳!烧了庄园之后,你又尾随我到了奥泊城,然后偷了我的宝石。现在我什么都明白了,你这个骗子!你再没什么可狡辩的了!"

"你还没有说全,他还不仅仅是个骗子呢!"泰山背后,突然有人插进了这样一句话。

泰山没发现这地方还有别人,猛然吓了一跳,回头一看,只见一个身材高大、穿着军装的人站在自己背后。那人身后的大道上还有一队刚果兵士,正向这里走来。

那位军官继续说:"先生!他是一个杀害长官的凶手,在逃的罪犯。我们缉捕他已经有好久了,预备把他送上军事法庭,依法治罪。"

这时沃泊尔已经站了起来,一见这阵势,吓得脸色煞白。他没想到本国的军队这样厉害,为了追捕他竟然深入到荒野丛林里来了。他本能地拔腿想逃,泰山手疾眼快,一把将他抓住,喊道:"别跑!这位长官要找你,我也要找你呢!先把咱们俩之间的账算清,再把你交给这位长官也不迟。你先告诉我,我的妻子在哪里?"

比利时军官呆呆地望着泰山,觉得十分诧异。他看面前这个大汉赤裸着上身,完全像个当地土著人,但是一张口讲话,却是一口流利的法语。他见泰山要抢夺自己要捉的罪犯,不免有点动气,于是走上前去,一手抓住沃泊尔的肩膀,对泰山说:"对不起,他是我们要抓的罪犯,必须让他跟我们走!"

泰山也用不容商议的口气回答:"别忙!等我跟他交涉完了,才能让他跟你走!"

那军官转过身,向他背后的兵士们招了招手,那些兵士一拥而上,把他们三个人围在中间。那军官宣布说:"我们比利时军队这方面有法律和实力做后盾,不允许你干扰公务。假如你跟这个罪犯有账要清,可以随我们一同回去,到我们法庭上起诉就是了,不要在这里纠缠不清。"

泰山朗声回答道:"且慢!我的朋友!你只知道逮捕他是你的职责,然而你可知道,在你脚下这块土地上,你没有行使这个职责的权力,因为这里是英国的领土。你带了军队在大不列颠的领土上抓人,请问,你有引渡的公文吗?如果有公文,请你拿给我看看,不然的话,咱们大家都不按法律办事,我也可以召集我的部下跟你见见高低。你要知道,我的部下可都不是好惹的,弄急了他们,恐怕你的兵士会被他们杀个精光。到那时,恐怕你们不会有一个人能活着回到刚果了!"

泰山这一席话很出那军官的意外。他原没有把这个半野蛮装束的人放在眼里,没想到他能把轻重利害说得这么头头是道,自己一时竟张口结舌了。可是他看看周围的兵士,觉得自己这个当长官的在下属面前实在下不来台,便恼羞成怒地高声说:"我本来就不屑跟你这个裸体的蛮人讲话,现在你居然敢来对抗我,我倒要看看你有多大本事!"说着,他就吩咐一个手下人,"上士班长!把这个人也给我逮起来!"

沃泊尔这时乘机低声对泰山说:"格雷斯托克爵士!请你保护

我,别让他们把我捉去。我可以领你去找你的夫人。昨天夜里,是我把你的夫人从阿拉伯人的帐篷里救出来的,我临时把她藏在一株大树上了。今天,我也在找她,虽然没有找见,但我估计她离这里不会太远。"

那位上士班长马上命令兵士们执行长官的命令,要上前去逮捕沃泊尔。泰山却飞速地把沃泊尔夹在腋下,一下子就冲出了重围。这些兵士一点儿也不了解泰山,自然上前去抢夺。泰山用空着的一只手飞起一拳,打中了一个兵士的下巴,那兵士跌出老远,爬都爬不起来了。那些带枪的士兵还没来得及开枪,被泰山的铁臂向两边一扫,马上劈开了一条道路。士兵们吓呆了,又怕伤着自己人,谁也不敢开枪。于是他们把枪当棍子用,挥舞着乱冲乱打。在混乱之中,泰山的后脑也重重地挨了一枪柄。

这一枪柄打得很重,泰山倒下了,马上有十几个士兵拥上去,把泰山按在地上,捆了起来。沃泊尔也同样被抓了起来。这时那位比利时军官志得意满,显出一种大获全胜的神情,夸赞自己士兵的英勇,并用嘲讽的话挖苦泰山和沃泊尔。泰山一声不响,沃泊尔却直为泰山说话,说泰山是位英国爵士,是有声望有地位的,实际上,沃泊尔是想用这些吓倒对方,同时也借此救出自己。那军官听了只是大笑,根本不相信,他劝沃泊尔留着点精力,以便到军事法庭上给自己辩护。

这时泰山已从昏迷状态中清醒过来,那军官下令把这两个人押回刚果去。泰山和沃泊尔被士兵们抬着,夹在大队中间前进。接近黄昏的时候,走到一条大河边,军官下令扎下营帐,就在这里做晚饭。这一大队人马忙忙碌碌,谁也没有注意到,在附近的丛林中,有一对锐利的眼睛正在盯着他们,看着他们扎营,看着他们布置防御工事,看着他们点火做饭。

扎好了帐篷以后,泰山和沃泊尔被捆着,被扔在一小堆背包和行李袋旁。到吃饭的时候,才给他们松了绑,叫他们站起来,由士兵们押着去吃饭。但只给他们松了脚上的绑绳,手上的绑绳要等吃的时候才给解开。当泰山站起来的时候,丛林中那一头动物马上认出了泰山,立即从喉咙里发出一声低低的咆哮,泰山已经听到了这一声咆哮,并且听出了是谁的声音,但他没有马上回应,怕士兵们发觉后会循声去伤害那头动物。

泰山在心里转着念头,想了一会儿,便有了主意。他低声对沃泊尔说:"我要用一种非常古怪的语言和你高声说话,这种语言你当然是听不懂的。但你要装出听懂了的样子,并且还要模仿我的声音,胡乱地发些声来,装出回答我的样子。这样,咱们俩就都有脱逃的机会了。"

沃泊尔点点头,于是泰山就开始大声地发出一串叽里咕噜的很难懂的声音,有时像狗叫,有时又像猴子啼叫。那些士兵听了,都莫名其妙地看着泰山,就连沃泊尔心里也非常奇怪,不知泰山这是干什么。旁边的士兵们有的笑起来,有的却感到害怕了。那个军官也听见了,走过来,两眼直瞪瞪地看着泰山。当他听到沃泊尔也用同样的声音回答泰山时,他才觉察出情况不妙了,他猜想,这恐怕是他们的一种密语,说不定在商量什么对付军队的办法呢。于是他就厉声地问他们说的是哪国话,在说什么。

泰山心里早有准备,便毫不迟疑地回答说:"我们说的是希腊语。"

那军官不懂装懂地说:"我也觉着有点像希腊语呢,因为我也学过希腊文,不过那是好多年以前的事了,现在不大记得了,并不是我不懂。你们俩何必讲这种古怪刺耳的话呢?我允许你们俩交谈,但必须用我们都熟悉的语言。"

沃泊尔听了,转过头来向泰山暗笑,轻声对泰山说:"你听见了吗?他居然说真的像希腊语呢!他真好意思说出来。"

但是,有一个士兵却觉得可疑,他用极低的声音对身边的一个士兵说:"他们说的似乎不是希腊语,我记得仿佛听到过这种声音。有一天晚上,我在丛林里迷了路,听见许多大猿在树上叽叽喳喳,他们浑身都长着长毛,他们发的声音就和刚才这个白人的声音差不多。我看这个人不一定是人类,也许是个什么恶魔,要是我们不放他走,恐怕会要吃他的苦头呢!我看,我们还是小心一点好。"说着,他转过头去看看丛林,越发毛骨悚然起来。

他的同伴虽然笑他胆小,心里却也感到几分胆寒,就对其他许多同伴说了。没用多少时间,这个说法很多人都知道了,大家都疑心这个半裸的大汉身上很可能有置人于死地的魔力。士兵们都恐慌起来。

在黑暗的丛林里,有一个满身长毛的动物,在树上飞腾跳跃,向南奔去。他是向伙伴们报信,搬救兵去了。

二十三
恐怖夜

琴恩一直在树上盼着弗立柯来,等了整整一夜。她觉得这一夜真是好长好长啊!好容易盼到了天边现出鱼肚白,离天大亮大约还有一个小时光景,隐隐看见远处一个骑马的人从大道上走来,她不禁心中暗喜。来人走得很慢很慢,她猜想他也许是在寻找自己,从身材和脸形看来,有点像弗立柯,而且也穿着阿拉伯人的服装。她刚要喊,但转念一想,怕后面有人跟着他,所以没敢喊出声来。她又担心他找不到这株树,环顾周围,大树极少,想来他不会找不到,看他走到树下了,她俯下身来,向他低低地招呼了一声。

树下那个人听到声音,抬头向上一看,这时琴恩才看清他的面目,来人原来不是弗立柯,却是埃塞俄比亚人门尼勒克,琴恩大吃一惊。门尼勒克也看见了琴恩,在下面高声喝令她下来,琴恩开始还抵抗着,努力往树的高处爬。后来,门尼勒克身后的士兵队伍也到了,他就指挥一个善于爬树的士兵上树去捉琴恩。琴恩一看这情势,已没有逃跑的可能了,只好慢慢地爬下来,到了地面上,她哀求门尼勒克放了她。

门尼勒克近来一段时间屡屡失败,到手的黄金被别人夺去了,俘虏也在自己看守的范围内逃跑了,又失去了不少部下,心中正怏怏不乐,平时他就不是个善心人,难道还能指望他现在发慈悲吗?

现在的门尼勒克处境也确实危险,损兵折将,丢失黄金,如果回到本国,长官禀明国王,即使不被处死,最轻也会被革职。他很熟悉国王的特点,国王好色,如果把面前这个美丽清秀的白种女人带回去献给国王,不但能保住性命和职位,说不定还会走一步好运升官发财呢!琴恩说尽了各种好话,婉转哀求了很久,门尼勒克只答应给她以特别保护,但不答应放她走,还要琴恩必须跟着他去见国王。琴恩问他去见国王做什么,他只闪烁其词地搪塞着,不肯实言相告。琴恩心里明白,跟他一起去见国王,决不会有什么好事,但是自己一个孤身女子没有能力抵抗,无可奈何,只有跟着他们走。琴恩才出虎口又入了狼群,未来会遇到什么命运,自己心里一点儿底也没有。

门尼勒克自被阿奇米特打败,从枪弹中逃出来,就跟士兵们一直在莽莽丛林中乱转。他们就这样不辨方向地走了几天,原应该向北走的,却错误地向西走。他们希望能遇到一个土著人的村落,可以向他们雇一个向导,但是,一直走到天都黑了,还是没有遇到一个村落。周围茫无人烟,都是漫无边际的丛林。

整个队伍又饿又渴,在丛林深处连月光都照不进来。大家都没有力气往前走了,只有在林子里住下来。这里人烟稀少,狮子非常多,一到夜晚便成群结队地出来猎食。狮子闻到了人和马的气味,都兴致勃勃地怒吼示威起来。那些马听到狮子吼,竖起鬃毛,直立起来,长嘶悲鸣。士兵们为了防范狮子的进攻,除了多加岗哨之外,还设置防御工事,把火堆烧得极旺。猛兽都是怕火的,一见火光，它们就不敢走近。果然，狮子望见火堆，只站在远处怒吼示威，却没有一只敢冲进营地里来。

琴恩疲乏已极，昨夜她在树上等候弗立柯，几乎一夜没睡，可是现在处在这样的环境里，满心恐惧，不管怎样疲乏，她也是无法入睡的。门尼勒克是这支队伍的负责人，唯恐出什么意外，不敢大意，他不时站起来，在拴马处和火堆旁来回巡视。琴恩看他走来走去，像个鬼影子一样。从步态看来，他心里也是害怕的。

四周狮子的吼声越来越凶猛了，简直震得地动山摇。那些马都受了惊，虽然被拴着，却都在乱跳乱撞，想要挣脱缰绳赶快逃命。有一个士兵怕它们真的挣脱了缰绳，闹出事来，便跳到马群中去，抚慰它们，马已经惊惶到极点，不知跳进来的人想干什么，因而更加乱了起来。恰在这时，有一头非常凶猛的大狮子冲进丛林，竟蹿到烧着火堆的营地边上来了。值班的士兵见情况紧急，唯恐狮子冲进营地里来，只好壮着胆子，举起来复枪，向狮子开了火。有一颗子弹打中了狮子的腹部，狮子受了伤，但不是致命处，这一下反而激起了狮子的暴怒。

狮子如果没有受伤，见了那营地的防御工事和燃烧得很旺的火堆，还有点顾忌，但中了一枪之后，大怒起来，就一心只想着报复。实际上，士兵们临时筑起的防御工事，狮子只需一跃可过。这头怒狮大吼一声，跳过了工事，照直向马群冲去。马见狮子冲来了，有几匹没命地扯断了缰绳，乱冲乱撞着逃跑了。士兵们一看这情况，都急忙拿着枪赶来，想保住自己的马。但这时，林中又蹿来了十几头狮子，帮助它们的伙伴。人的喊叫声、马的嘶鸣声、狮子的怒吼声混成了一片。马是不大会拼杀撕咬的，人手里尽管有枪,到底抵抗不过狮群,片刻工夫,受伤的已不少,眼看有全军覆没的危险。

琴恩本来就没睡着,当第一头狮子闯进来的时候,她已经站了起来,但她既无力抵抗,又不敢乱跑,只有站在那里,吓得浑身发抖。有一次,一匹马窜过来,把她撞倒了,她刚刚爬起来,一头狮子在追前边那匹马,从她身边擦过,又把她撞倒在地。

整个营地充满了凌乱的来复枪声、狮子的怒吼和受伤者的呻吟。马在逃命,狮子在追赶,埃塞俄比亚的军士们已经溃不成军,只有各自为战。在这乱军之中,当然没有人会来特意保护琴恩。她多次遇到危险,生死几乎就在一发之间,她心里是想逃跑的,可是看了看身边,总有埃塞俄比亚的士兵,他们手里毕竟有枪,看到自己逃跑,当然是会开枪的,所以一直找不到逃走的机会。马反而比人的胆量大,已经有几匹冲出重围,跑到丛林里去了。

有一头狮子冲来,向琴恩身边的一个士兵扑去,那士兵举起枪柄,打中了狮子的头,人却被狮子撞倒。狮子头上挨了一下,并没伤着,立刻扑上去,踏住了那个士兵的胸膛。那士兵吓坏了,用手在狮子的胸前乱推,他哪有狮子的力气大,不但没能推开狮子,反而惹恼了这庞然大物。狮子埋头下去,一口咬住士兵的喉咙,可怜那士兵哼都没哼一声,就没命了。狮子站起来,跨过士兵的尸体,想要叼一匹死马出去吃。但这一路上,横七竖八都是尸体,狮子找不到一条能顺利出去的路,它生起气来,大吼一声,放弃了死马,发着黄绿色凶光的眼睛向四下扫视着,想找一个活着的东西出气。

狮子发现几步以外站着一个发抖的女人,像找到了合适的目标一样,张开大嘴,吼了一声,眼睛逼视着她,把身子向后一缩，准备蓄足了力气，向前扑去，这次一定要万无一失地攫取这个到嘴的猎物。

现在我们再回过来说一说泰山。他和沃泊尔都被绑着，谁都动弹不了。那位比利时军官认为一切都安排妥当，不会有什么事，就放心大胆地去睡觉了。除了值勤的士兵在巡逻之外，其他的人也都睡了，营地静悄悄的，一点儿声音也没有。放哨的那几个士兵心里可直发毛，因为他们听到了泰山嘴里那一串古怪的声音，总觉得有什么可怕的事要发生。他们的目光总不敢离开黑暗的丛林。虽然士兵们都已进入梦乡，可是泰山还醒着，他听到了丛林里的叫声，知道自己的朋友一定会来，自己必须先作好准备。他在暗暗使劲，想绷断捆绑的绳索。

泰山全身都用上了力，肩头和臂膀上的肌肉都鼓了起来，一根根血管也突了出来。他奋力挣扎了一阵，右手上的绳子先断了，他心头掠过一阵喜悦，没想到这么容易就恢复自由了。就在这时，林中传来一声对他的呼唤，泰山侧耳一听，知道自己所盼望的朋友果然来了。泰山的听觉本来就敏锐，何况今夜他是有意侧耳倾听呢？隔了不久，丛林里又传来一声鸣叫。一个哨兵也听到了，他吓坏了，瞪圆了两眼，呆呆地望着丛林，用颤抖的声音低声问他身边的同伴："嘿！你听到了吗？"

那个哨兵似乎还没听到什么，可是看他的伙伴吓得这副失魂落魄的样子，也不禁害怕起来，于是靠近过去，颤声地问："你说听见什么？你听见了什么？"

这时，林中又传来了一声低啸，营地里也有人照样回应了一声。两个哨兵紧紧靠在一起，望着营地发出声音的地方，可又不敢朝那里走。他们正吓得不知所措的时候,忽然看见从对面的树上跳下一只浑身长着长毛的大猿来。哨兵吓得叫了起来,大声地呼叫营地里的士兵们快起来,其中一个哨兵赶快跑到火堆前,往火堆里大量地添加干柴,想以此吓退大猿。

那个军官和所有的士兵听到了哨兵的喊叫,都从睡梦中惊醒过来,大伙不知出了什么事,急忙从毯子上跳了起来。他们借着火光望去,看见有十几只大猿从树上跳下来,闯进营地里来了。泰山手上的绳索已经松开,这时他坐了起来,用白天说过的那种古怪语言指挥着大猿,告诉他们该怎么做,怎么去对付士兵们。那些士兵看到这么一大群大猿在那个半裸的白人指挥下凶猛地进攻过来,早已吓得半死,哪里还有抵抗的力量?

沃泊尔也被混乱声惊醒,坐了起来,想看看究竟发生了什么事,是否对自己逃走有利。当他看到闯进来一群大猿时,也十分害怕。他当然不知道这群大猿是受泰山指挥的。这群大猿中为首的,正是泰山要找的却克。却克见自己的同伴都到齐了,就呼哨一声,一齐跳到泰山跟前。那比利时军官镇定了一下,马上命令他的部下开枪。但那些士兵都吓傻了,没有一个敢开枪的,怕把猿群引到自己身边来。他们见了这么一大群大猿,又见他们懂那个白人的话,都误以为这是一群长毛野人,一定是那半裸大汉用什么魔力把他们召唤来的,若是开枪惹怒了他们,不知会遭到什么灾难。

那个军官毕竟是受过教育的,他没有这些迷信思想,于是他带头开了枪。泰山是十分熟悉大猿的习性的,在敌手比他们强的时候,他们也是怯懦的,他担心大猿被枪声吓跑,所以赶快命令他们先把自己和沃泊尔救出去。这时,果然有两只大猿听到枪声吓得溜走了，但却克却非常勇敢，身先士卒，率领伙伴，背着泰山和沃泊尔，飞快地跑向了丛林。

比利时军官见抓住的罪犯已被大猿劫跑，连督促带恫吓，命令部下开枪，向大猿群追击，可以不管那半裸的野人，但是罪犯沃泊尔一定要追回来。士兵被逼得没有办法，又实在不敢向大猿开枪，只好朝天放了一阵排枪，可是有的大猿上了树，这一阵排枪里，有一颗子弹打中了一只大猿，他正是背着沃泊尔的却克！

却克被打倒了，但马上又顽强地站起来，负伤挣扎着，仍旧背着沃泊尔朝前走，慢慢地跟在大猿群的后面。大猿们在泰山的指挥下走出了一段路，然后停下来，放下泰山，泰山自己解开腿上的绳索。等了好一阵，却克才赶到，已经是气喘吁吁，脚步摇晃了。那颗子弹正打中了他的要害处，他是出于对泰山的忠心，才靠毅力把沃泊尔背到目的地的。却克还没来得及放下沃泊尔，鲜血从伤口大量涌出，他往前一扑，半侧着身子，倒在地上就死了。却克倒下去时，身体有一部分压着了沃泊尔，沃泊尔用手去推他时，无意间摸到了他身上一件东西，硬邦邦的。在这一瞬间，他能断定这个硬东西不会是长在大猿身上的，一定是他的身外之物。

沃泊尔既已产生了疑心，就趁机迅速摸了一把，凭感觉，这是一只柔软的钱袋，里面装满了很小而又很坚硬的东西。沃泊尔心里一动，这不是很像自己弄丢了而又一直没找着的东西吗？对！确实很像！他很想把它从死猿身上取下来，先藏在自己身边，等有机会再看个究竟。可是他办不到，因为他两手被捆着，没法动。他暗暗着急，说不定宝石就近在咫尺，却怎么也想不出一个方法拿到手，他心里真是像猫抓一样。

泰山跪下去检查却克的伤势，见他已经死了，非常痛心地说："真是不幸,他竟死了!多么忠心的一个朋友啊!又机智,又勇敢,受了伤之后,还挣扎着把我们救到平安的地方来,现在,我们却不能救他了!"说着,他眼泪都在眼圈里转了。看完了却克,泰山就替沃泊尔解开手上的绳索。

沃泊尔的两手被松开之后,泰山接着要替他解脚上的绳索,沃泊尔说："不用麻烦你了,现在我自己可以解了。我衣袋里还有一把小折刀,没有被他们搜去,我用它来割断绳子就行了。"

泰山听他这样说,就走开了,和另外的大猿去闲谈。沃泊尔趁泰山不注意,先用小刀割下却克身上的钱袋,藏进自己的内衣里面,然后才割断脚上的绳索,站起来,向泰山身边走去。

常言说,江山易改,本性难移,这话一点不错。沃泊尔才得以活命,贪财的心便又滋生了出来,早把琴恩勉励他爱惜声誉的话忘到九霄云外去了,刚萌发的一点点天良,在财宝面前又消失得无影无踪。宝石失而复得,是他天大的意外之喜。但是,革囊怎么会到大猿身上去的?沃泊尔百思不得其解。他猜想,也许是自己和阿奇米特在树林中交手的时候被他看见了,暗中偷去的。反正,奥泊城的宝石现在又回到自己手里了,又何必瞎费那番脑筋去猜测当初是怎么丢的呢?

泰山回转身来对沃泊尔说："现在，我和我的朋友从死亡的危险中把你救出来,你该履行你的诺言了吧?领我到你最后见到我妻子的地方去!"

沃泊尔明知这是一件很艰难的事,可事到如今,他怎么也推却不了了,只好领着泰山往前走。泰山心里很急,多次催沃泊尔快

人猿泰山・奥泊城的珍宝　　191

些走，但沃泊尔不会在树上腾跳，所以怎么也走不快。那群大猿跟着他们俩走了几里路，觉得再跟下去没有意思了，于是，一只大猿先跳上树，其他大猿也接着一个一个跳了上去。泰山不再去勉强他们，自己跟着沃泊尔往前赶路，听凭大猿们各自去干爱干的事。在兽类之间，离合都很自然，不像人类那样有什么离别之情。

他俩走了很长很长的路，忽然从远处传来狮子的吼声，还有一阵阵的排枪声，这自然引起了泰山的高度注意。他转身对沃泊尔说："不好！有人被狮子袭击了，我们得去救他们，说不定遇难的是我们的朋友呢！"

沃泊尔说："你比我走得快，你赶快去看看，也许你的夫人也在那里呢！"他第二次又得到宝石之后，不免处处疑神疑鬼，总怕泰山看破他的秘密，因此，他不但不感激泰山的救命之恩而真心帮助泰山，反希望泰山早些离开他，自己好早早踏上归国之途，去尽情享受这份捡来的荣华富贵。

沃泊尔的话倒是提醒了泰山，像有人对他猛抽了一鞭一样，他心里一惊，不由得喊出声来："天啊！也许是她，我的琴恩遇到狮子了！从马嘶声可以听出来，那里的人数不少。不对！不好！听人和马的声音这样悲惨，狮子一定在那里吃人了！你就在这里等，等我回来，我一定要到那里去看一下！"

说着，泰山飞身上树，朝狮声人声喧闹的地方飞奔而去。

沃泊尔站在原处，嘴角浮起了一丝笑容，低声自语道："在这里等，在这里等？傻瓜才在这里等！难道等你回来夺我的宝石吗？上帝保佑我，让我能从你身边脱身，我才不会笨到那种地步，要在这里等你！"

二十四
重建家园

泰山循声在树上飞快地跳跃着,埃塞俄比亚军队和狮子的决斗声听得越来越清楚了。泰山加紧了脚步,不大会儿工夫,他就从树的缝隙中看到了营地的篝火。透过火光,他看到人与兽混战的场面,十分恐怖而悲惨。

泰山把枝叶拨开,在人堆中仔细寻找,他真的看见一个女人站在那里。在她身边,倒着一匹死马,紧挨着死马,竟蹲着一头凶猛的狮子,正要向那女子扑上去!泰山立刻明白情况已十分危急,不容再迟疑了,于是他不顾一切,猛地向狮子身上跳下去。

此时,琴恩已是万念俱灰。她既痛失亲人,又痛失家园,孤零零地活在世上,实在是生趣全无,与其今后要长时间地在思念和追忆的折磨里生活,倒不如痛痛快快地死了好。面对就要扑上来的狮子,她既不感到恐惧,也不想躲避。她安详地看着狮子把身体向后缩了缩,知道这是狮子在做前扑的最后准备,泰然地等待着死亡的来临。没想到就在这时候,从树上跳下一个大汉来,骑在了狮子身上,这大汉的面貌和身材竟酷似泰山,她愕然地呆住了。

琴恩无法相信这就是泰山,因为她一直认为丈夫被敌人用枪打死了。这时,由于极度的疲劳、紧张和恐惧,她心神有点恍惚,忽然冒出了一个奇怪的念头,她认为这是她丈夫的灵魂在冥府知道她遇到了狮子,因而特来救她的。一时之间,她什么都忘了,忘了面前的狮子,忘了自己危险的处境,悲与喜齐集心头,感动得几乎落泪。她不由得把两只手按在胸口上,张开嘴想要呼叫一声什么,但又没叫出来,两只眼睛睁得大大的,紧盯着泰山的灵魂,唯恐他什么时候突然从自己眼前消失,这种相见是多么难得啊!谁知今后什么时候才能再见到这个身影?只见泰山从挣扎着的狮子身上跳开,站在狮子的对面,狮子已放掉琴恩,转身向泰山扑去。琴恩全神贯注地看着他们争斗,只见泰山用肩头把狮子撞了一下,狮子只顾往前扑,却没防备这从横下里来的力量,差一点被撞翻在地。琴恩这时全身猛地一震,她突然明白过来,灵魂是不会有这么大力量的,眼前和狮子争斗的,就是自己的丈夫泰山。感谢上帝!他没有死!是的,是他,他活着!这样的失而复得,人一生中能有几次?过度的喜悦使她全身都战栗起来了。

这一阵狂喜还没有过去,另一种恐惧又陡然袭上心头:泰山面临着死的危险!她见泰山两手空空,什么武器都没有,可是再看那狮子,被撞出去之后,现在又站稳了脚步,正蓄势向泰山扑去,泰山的处境十分危险。

泰山也在四顾寻找武器,他一眼看到一个死去士兵的脚边有一支来复枪,便以极快的速度,俯身拾了起来。这时,那狮子也已扑了过来,前爪就要抓到泰山了,泰山已来不及调整枪栓,只好把枪倒过来,拿枪柄当棍子用,看准了狮子的头,狠狠地砸了下去。方才也有一个埃塞俄比亚士兵这样打过狮子的头,可是狮子没怎么样,那士兵反被狮子咬死了。泰山可就不同了,他本来就有过人的神力,再加上面对死亡的威胁,所有的潜能都发挥出来了,力气自然比平时又大了许多。这一枪柄下去,只听得一声巨响,狮子的头颅被打碎了,脑浆溅了一地,方才还威猛异常的狮子,现在倒在地上不动了。琴恩张开两臂,立刻跑过去,紧紧地抱住泰山,两个人都沉醉在忘乎一切的无边幸福里了。当他们再分开的时候,泰山立即意识到处境仍然十分危险。

周围其他的狮子还在蹿着,跳着,扑咬着埃塞俄比亚士兵和马匹。受惊的马到处乱窜,士兵们手举来复枪,子弹四处乱飞。这景象真是惊心动魄。

泰山镇定地思考着,他知道停留在这里是十分危险的,于是他来不及向琴恩解释什么,就把琴恩抱起来,扛在自己的肩上。那些埃塞俄比亚士兵虽在战斗,但还是看见了泰山这个半裸大汉扛着他们的女俘虏,轻轻地往一棵树上一跳,眨眼间就没有了踪影。

他们当中有些人看到了这一切,但由于自身还处于生死关头,只好眼睁睁地看着他们走了。兵士们手里的子弹已经不多了,为了活命,他们也不想再浪费子弹。泰山没有遇到任何拦阻或攻击,顺顺利利地离开了埃塞俄比亚的军营,扛着琴恩,在树上飞快地腾跃着,直奔丛林去了。

泰山在树上走了一段路,回到和沃泊尔分手的地方,想找沃泊尔。这时,泰山的心里充满了喜悦,他几乎准备宽恕沃泊尔的一切罪过,如果能够找到沃泊尔,他甚至还想帮助他逃过比利时军事法庭的制裁。但是他怎么也找不到沃泊尔。泰山以为他到周围的什么地方去了,就向四周呼喊了一阵,但喊了半天,四处寂静无声,始终没有听到回应。泰山想,大概沃泊尔还有什么事瞒着自己,所以逃走了,反正自己找他再也没有别的事,他走了就走了吧。现在,对泰山最重要的是找到了琴恩,他决不能丢下琴恩一个人再去干别的,若再失去琴恩,他将会终生追悔莫及。

泰山转身对琴恩说:"我看这个比利时人怕是有什么隐私不敢告诉咱们,不然,他为什么要这样不辞而别呢?他既然走了,我看咱们也不必找他了。我原想在路上给他点帮助的,他现在就这么走了,在前面若遇到什么危险,只好由他自己去应付,这可不能怪咱们了。我们也走吧!"

于是泰山扶着琴恩的手臂,向自己原来的庄园走去。他俩一路走,一路商量着,旧的庄园已被焚毁了,怎样把它重新修建起来,什么地方还该改一改,让它比原来更好些。

泰山说:"可惜我在奥泊城找到的一袋宝石弄丢了,不然,资金还会充裕得多。"

琴恩微笑着说:"资金不是多要紧的,咱们因陋就简,有多少钱办多少事。我看,只要咱们那些瓦齐里武士还在,重修庄园决不是多难的事。他们对咱们可真是忠心耿耿啊!"泰山点点头,表示同意琴恩的话,心里不禁也怀念起他的那些部下来。

他们往前走了一段路,到了原来阿奇米特的村寨,这块地方竟也同样变成了一片焦土,没烧尽的茅屋还在冒着烟。琴恩感慨万千地说:"看啊!他烧别人的,别人也同样烧他的呢!"

泰山说:"这也叫报应不爽吧!其实,当地土著人之间报仇,这是惯用的手法呢!"

泰山站在这片村寨旁，端详了一阵，说："说不定这还是瓦齐里武士们为了替咱们的庄园复仇，而干出来的壮举呢！"说着，不禁微笑起来。

琴恩像在自言自语一样低声说道："愿上帝保佑他们，忠心的瓦齐里武士们！"

泰山忽然想到了什么，说："火既然还没完全熄灭，那么，放火的人一定还没走远，也许还是比苏里亲自带人来干的呢！经过这次劫难之后，想一想，我们还算是幸运的，虽说从奥泊城带回的黄金没了，宝石也没了，可到底我没失去你，你也没失去我，我们又都平安地回来了，还有什么比这更好的呢？我们都还健健康康地活着，还有瓦齐里人帮着咱们，大家同心协力，没有办不成的事。我想，那些黄金和宝石本来就不是属于我们的，不过我冒了一点险才得到它们，丢就丢了吧！我们没有必要为这些东西心疼，人都健在，这比什么都重要。琴恩！你说是吗？"

琴恩沉思着，最后长叹了一口气，说："亲爱的泰山！你没有看见，你留在庄园的那些武士为了保护我，为了保护庄园，他们是怎样奋不顾身地战斗啊！尤其是跟你最久的莫干壁战死了。为我、为庄园而忠勇牺牲的武士们，我真是终生也不会忘记他们的。衷心地祝愿他们的灵魂进入天堂！"

琴恩说到这里，眼圈红了，声音也有些哽咽了，泰山也低下头去，不禁黯然。后来，他俩又往前走，渐渐地接近他们熟悉的离庄园不远的丛林了。泰山忽然停步静听，竟听到有人讲话的声音！

泰山又侧耳细听了一阵，忽然惊喜地大声说："你听！瓦齐里武士们就在我们前头呢。琴恩你听！我听到他们讲话的声音了，里面还有比苏里的说话声,一点不错,确实是他们!我猜想昨晚他们一定也是在树林里过的夜。来!我们快走,去追上他们!"

琴恩这时还什么也没听见,但她相信泰山的听觉是不会错的。于是泰山扶着琴恩,两人加快了脚步,又往前走,大约过了半个小时,他们果然追上了,看见前面围坐着很多黑人,比苏里也在人群中。原来这些人都是比苏里召集起来的,他们为报仇,去攻打了阿奇米特的村寨,现在大胜而归。阿奇米特村里的男人都被他们杀光了,这一次他们之所以会这样手狠,是因为他们心里燃烧着仇恨,主人的庄园被这帮人烧了,女主人又被这帮人掳去了,他们怎能不怒火中烧呢?进了阿奇米特的村寨,瓦齐里人几乎是杀红了眼,以一挡十,村寨中人自然敌不过他们。村中男人全被消灭之后,女人、牲畜和财物也都给掳走了。唯一遗憾的是,他们找遍了阿奇米特村寨的每个角落,怎么也找不到女主人的身影。他们现在坐在这里,还在谈这件事。

琴恩一眼望去,忽然在比苏里的身边发现了一个非常熟悉的身影,仔细一看,竟是莫干壁!琴恩一直以为他在庄园大火里被烧成灰烬了。当琴恩确认是莫干壁时,她不禁高声喊着莫干壁的名字,奔跑过去。这群黑人听见声音,都扭过头来,一看来的竟是泰山和琴恩。简直是喜从天降!他们不禁跳起来欢呼着,欢呼声响彻了丛林。

莫干壁和比苏里马上招呼大家安静下来,商量开个庆祝会,大家都欢呼着表示赞成。这种庆祝会当然也不讲究什么仪式,大家都发自真情,尽情地唱啊跳啊,把带叶的树枝编成花环,戴在头上。欢跳了一阵之后,大家都疲倦了,于是围成一圈坐下来,把自己经过的事都像讲故事一样讲出来。常常是一个还没说完,一个又抢着接上来,七嘴八舌,声音一直没有停歇。到最后,比苏里说,他和几个瓦齐里武士隐藏在芦苇丛中,看见埃塞俄比亚军队和阿奇米特带领的人为抢夺黄金而打仗,后来等他们走了,他便带领瓦齐里人把金砖藏了起来。这事只有他和瓦齐里人知道。他说这件事时,由于太激动太兴奋,有点语无伦次,东一句西一句,颠三倒四地叙述着。泰山始终没有打断他,一直全神贯注地听着,一边听,一边在脑子里整理比苏里说的话,到最后总算听明白了,知道自己从奥泊城带回来的黄金没有丢,真是喜出望外。泰山最后用一句话总结了庆祝会,他说:"我亲爱的武士们!谢谢你们!我不在家的日子,你们真是立了一大功!"大家听了,又是一阵欢呼。

把各人讲的故事拼凑起来,大家得出了一个共同的结论,那就是那个比利时人沃泊尔不是个好东西,他到庄园来是当暗探的,许多祸事由他而起,又都与他有关,若再找到这个人,一定要好好教训教训他。琴恩虽有不同看法,但听了大家的话,也不便替沃泊尔申辩什么,只把他曾经营救过自己的事约略讲了讲。

泰山听了琴恩的话,已经明白了她的意思,于是说:"每个人的心灵深处都蕴藏着善良的成分,只是往往被世俗的贪欲所掩埋。琴恩,沃泊尔之所以会营救你,恐怕是你的美德感化了他。将来他到上帝面前受审判时,这件善举也许可以抵消他的一些罪恶。现在,他既然已经走得无影无踪了,我们也就不必去追究他了。"

琴恩听了泰山的话,也释然地说:"好吧!我们今后就再不要提他了!"

大家回到庄园的旧址,一齐动手,同心协力,凭着瓦齐里人的勤劳和能干,只用了半个来月的时间,便在原来那片不成样子的焦土上,又建起了一座新的爵士庄园。这座新的庄园并不豪华,基本上和旧建筑一样。庄园里的人又过起了和从前一样俭朴、充实、幸福的生活,大家不再提起过去发生的不幸,只当它是一场噩梦,忘得越干净越好。

新庄园建成之后,泰山为了庆祝亲人和朋友经过生死劫难后又得团聚,也为了嘉奖黑武士们的忠勇勤奋,提议外出来一次较大范围的围猎。泰山一提出来,大家都非常高兴。于是泰山召集全体部下,安排好留守庄园的人,便带着琴恩和庞大的狩猎队伍,兴高采烈地出发了。

这次狩猎一直进行了十天,收获不小,可以说尽兴而归。泰山、琴恩、比苏里和莫干壁骑着四匹马跑在最前边,大家都跟在后面,说说笑笑地往回走。在即将走到回庄园前的平原时,忽然,琴恩的马看见前面草丛中倒着一个东西,受了惊吓,再不肯向前走。泰山的眼睛是最尖的,他已经看见前面路上有东西,急忙喊道:"你们别忙,暂时等在这里,让我去看看是什么。"说着他就下了马,接着琴恩等几个人也下了马,一齐围拢来看,只见草丛中躺着一具人的骷髅。

在这种丛林地带,人或兽的白骨原来也是常见的,所以泰山起初并没十分在意,但忽然他从白骨的缝隙中瞥见了一个很眼熟的东西,便俯身拾起来一看,竟是一个革囊,很像原来自己佩带的那个。他打开口袋一看,高兴得失声叫道:"这里面就是奥泊城的宝石啊！沃泊尔把它偷走了，现在无意间又回到我手里来了！"

他又低头看着那一堆白骨说："不用说，这个死人一定是沃泊尔了，就是化名朱利·弗立柯，到我庄园上来做探子的人。我原想帮助他回国，可他心里有鬼，自己逃跑了，却不想死在这里。"

大家都为宝石的失而复得感到十分高兴，只有莫干壁在一旁哈哈大笑，说道："宛那！请你再仔细看看，袋子里的宝石还是你原来从奥泊城带回来的东西吗？"

泰山很不解，便问道："你这是什么意思？你到底在笑什么？"

直到这时，莫干壁才又道出一段秘密来："因为我有过一件丢脸的事，所以我不愿意说。我从埃塞俄比亚兵营中逃出来之前，已经把沃泊尔袋子里的宝石用河里常见的小鹅卵石换了。我离开沃泊尔的时候，他带着的只是一袋普通石子，我拿着的，才是你从奥泊城带回来的宝石。有一天我在丛林里睡觉，革囊明明是带在肩上的，可到我醒来时，那袋宝石却怎么也找不见了。是什么人或什么动物偷走了吗？他为什么只拿走了袋子而不伤害我呢？我至今也闹不懂。我觉得这件事怪丢面子的，所以对谁也没说起过。总之，真宝石总不该还在那个比利时人身上。你还是打开再好好看看吧！"

泰山听了，忙把袋子打开，倒出一些来，放在手掌心里仔细看了看，确实是璀璨夺目的真宝石。莫干壁看了，也目瞪口呆。大家都觉得非常奇怪，谁也不会知道中间还隐藏着却克偷宝石这一个谜呢！

泰山百思不得其解地说："既然你用过掉包计，但这些确实是奥泊城的宝石,怎么会又回到沃泊尔手里去了呢?难道是他再一次从你那儿偷走的?"大家都面面相觑,谁也回答不了这个问题,因为却克和沃泊尔都死了,这件事永远成了个悬案。好在现在已经物归原主,没有必要再去追究其中的曲折了。

泰山重又骑回马上,感慨万千地说:"有些事,人们是费尽了心机,譬如这沃泊尔就是一个,可是到头来,该是谁的东西仍旧归了谁。看来,上帝是公平的。"